C0-AMQ-242

1 동물농장
2 걸리버 여행기
3 좁은 문
4 돈 키호테
5 죄와 벌
6 정글북
7 지킬 박사와 하이드
8 전쟁과 평화
9 지구에서 달까지
10 허클베리 핀의 모험
11 비밀의 화원
12 이상한 나라의 앨리스
13 아큐정전
14 변신
26 로빈슨 크루소
27 홍당무
28 타임머신
29 파우스트
30 파랑새
31 톰 아저씨의 오두막
32 폭풍의 언덕
33 작은 아씨들
34 알프스 소녀 하이디
35 크리스마스 캐럴
36 보물섬
어린 왕자가 사는 별은 어디쯤 있을까?

15
레 미제라블
16
어머니
17
오즈의 마법사
18
허풍선이 남작의 모험
19
도련님
20
제인 에어
21
올리버 트위스트
22
피터 팬
23
위대한 개츠비
24
닐스의 이상한 모험
25
오만과 편견
37
톰 소여의 모험
38
80일간의 세계일주
39
사람은 무엇으로 사는가
40
안네의 일기
맑은 영혼을 가진 어린 왕자를 만나려면 순수한 마음을 가져야 해.
뒤뚱아! 어린 왕자가 사는 별 찾으면 내게도 알려 줘.
밤에 창문을 열고 가만히 들어 봐. 방울 소리가 들리나.
논술 명작 41
어린 왕자

아이세움 논술 | 명작 41

어린 왕자

감수 및 개발 참여

감수 박우현

동국대학교 철학과를 졸업하고 동 대학원에서 비트겐슈타인의 〈논리철학논고〉에 관한 연구로 박사 학위를 받았습니다. 한우리독서문화운동본부 교육원장으로 활동했습니다. 그동안 쓴 책으로는 〈논리를 꿀꺽 삼킨 논술〉 등이 있습니다.

편집 · 진행 비단구두

비단구두는 밥만큼 아이들 책을 좋아하는 사람들이 모여 어린이들에게 꼭 필요한 이야기와 철학이 담긴 책을 만드는 아동 도서 전문 기획회사입니다.

캐릭터 디자인 아이원커뮤니케이션(www.ionecom.co.kr)

아이원커뮤니케이션은 도전하는 창조적 정신과 책을 사랑하는 열정으로 우리 생활 곳곳에 꼭 필요한 좋은 책을 만들고자 탄생한 Book 콘텐츠 기획 · 제작 전문 회사입니다.

아이세움 논술 | 명작 41

어린왕자

원작 생텍쥐페리 | **엮음** 서장원 | **그림** 아이원 | **감수** 박우현

펴낸날 2008년 3월 25일 초판 1쇄, 2014년 1월 10일 초판 10쇄

펴낸이 김영진

본부장 조은희 | **사업실장** 김경수

편집장 박철주 | **편집 · 진행** 박희정 | **디자인** 서남이

펴낸곳 (주)미래엔 | **주소** 서울시 서초구 잠원동 41-10

전화 마케팅 02)3475-3843~4 편집 02)3475-3924 | **팩스** 02)541-8249

등록 1950년 11월 1일 제16-67호 | **홈페이지** www.i-seum.com

ISBN 978-89-378-4858-2 74860

ISBN 978-89-378-4116-3 (세트)

· 책값은 뒤표지에 있습니다.

· 파본은 구입처에서 교환해 드리며, 관련 법령에 따라 환불해 드립니다. 다만, 제품 훼손 시 환불이 불가능합니다.

Mirae N 아이세움은 (주)미래엔의 어린이책 브랜드입니다.

아이세움 논술 | 명작 41

어린 왕자

생텍쥐페리 원작

서장원 엮음 | 아이원 그림

| 머리말 |

좋은 책 한 권이 열 학원보다 낫습니다

세월이 가도 우리의 가슴에 남아 있는 책이 고전이요, 시간이 흘러도 우리의 머리에 오래 기억되는 작품이 명작입니다. 좋은 책은 읽는 것만으로도 가치가 있습니다. 어렸을 때 감동 깊게 읽은 책들은 세월이 가도 내 몸에 향기로 남습니다.

책의 향기는 그 어떤 향기보다 향기롭습니다.

독서를 한 후에 생기는 느낌은 상당히 중요합니다. 나의 느낌은 나만의 재산입니다. 그 느낌을 말로 표현하거나 글로 써 보면 한 번 더 생각하는 사람이 됩니다. 한 번 더 생각하면 생각이 깊어지고 정확해집니다.

〈아이세움 논술 | 명작〉은 '좋은 책을 한 번 더 읽자'는 의도에서 만든 것입니다. 책은 읽어야 내 것이 됩니다. 느낌으로 다가오고 생각으로 다가옵니다. 그러나 학년이 올라가면 올라갈

수록 느낌만이 아니라 자신의 생각도 중요해집니다. 나의 생각이 곧 내가 누구인지를 알려 주는 것이기 때문입니다.

어떤 문제에 대해 자신만의 생각을 적절한 이유와 더불어 쓰는 것이 논술입니다. 〈아이세움 논술 | 명작〉은 책을 다 읽은 후에 그와 관련된 것들을 한 번 더 생각해 보는 데 도움을 줍니다. 그리하여 우리가 읽은 명작을 내 것이 되도록 도와 줍니다. 논술 워크북과 가이드북이 그 역할을 할 것입니다.

좋은 책 한 권은 열 학원보다 낫습니다.

쓰기가 싫으면 그냥 재미있는 책만 읽어도 됩니다. 명작을 읽는 것만으로도 훌륭한 공부를 하는 것이니까요. 그러다 어느 순간에 쓰고 싶은 생각이 들면 써 보세요. 생각나는 대로 써도 좋습니다. 쓴다는 사실만으로도 한 단계 발전한 것이니까요.

가슴에 쓰는 글은 나를 위해 쓰는 글이며 종이에 쓰는 글은 역사를 위해 쓰는 글입니다. 글이 역사를 만듭니다. 명작과 더불어 향기를 느끼고 자신의 글과 더불어 생각하는 사람이 되기를 진심으로 바랍니다.

전 한우리독서문화운동본부 교육원장

박우현

| 추천하는 글 |

명작 읽기의 소중함

열심히 책만 읽기에는 너무 고단한 우리 학생들에게 다시 '논술' 열풍이 불고 있다. 학생들이 스스로 즐겨 그렇게 된 것은 아니지만, 학생들을 위해 결코 나쁜 일이라고만 말할 수는 없을 것이다.

새삼스러운 얘기일 터이지만 좋은 글을 쓸 수 있는 가장 빠른 길은 "많이 읽고(다독多讀)·많이 쓰고(다작多作)·많이 생각(다상량多商量)"하는 삼다(三多)밖에 다른 것이 없다.

먼저 다독이 문제다. 많이 읽는다고 해서 아무 책이나 마구잡이로 읽는 것을 다독이라고 하지는 않는다. 많이 읽되, 좋은 책을 읽을 때 그것이 다독이다. 그렇다면 어떤 책이 좋은 책일까?

우선 고전이라 할 명작에는 사람이 세상을 살면서 알아야 할 온갖 삶의 지혜와 가치가 담겨 있다. 가령 〈지킬 박사와 하이드〉에서는 인간 내면에 혼재해 있는 선과 악의 대립을, 〈동물농장〉

에서는 삶을 한없이 타락시키는 전체주의와 아름다운 삶을 지향하는 인간의 무한한 이상의 끊임없는 갈등과 투쟁에 대한 반추를 해 볼 수 있다. 이런 고전을 재미있게 읽고 생각하는 기회를 갖는 것이 바로 좋은 글을 쓸 수 있는 바탕이다. 문제는 고전이 너무 어렵고 분량이 방대하다는 점이다.

이번에 출간된 〈아이세움 논술 | 명작〉은 원전의 내용을 재구성해 어린 학생들이 쉽게 고전과 친해지도록 만들었다. 지루함을 덜기 위해 캐릭터를 사용해서 그 캐릭터들과 끊임없이 교감하며 끝까지 책을 손에서 놓지 못하게 만든 것도 이 시리즈의 특색이요 장점일 터이다. 책 뒤에 논술을 학습할 수 있도록 논술 워크북과 가이드북을 제공하여 '학습과 논술'이라는 두 문제를 다 해결할 수 있도록 배려한 점도 주목할 만하다. 어린 학생들이 편안하고 소중한 독서 경험을 하리라 본다.

물론 이 명작선은 완역본이 아니므로 이것만 읽어서는 해당 작품을 제대로 읽었다고 말할 수 없을 것이다. 그러나 훗날 학생들이 성장하여 완역본으로 다시 읽고 올바르게 이해하는 데 큰 도움이 되도록 세심한 배려를 했다.

이 점도 이 시리즈가 귀하고 값진 이유이다.

시인

신경림

| 차례 |

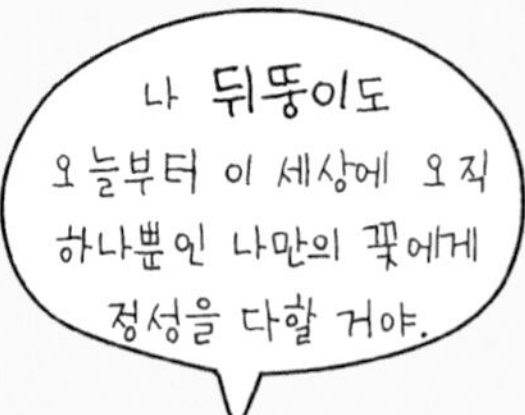

나 뒤뚱이도
오늘부터 이 세상에 오직
하나뿐인 나만의 꽃에게
정성을 다할 거야.

뒤뚱아, 그럼
나 번빠리가 그 꽃을
훌쩍 뛰어넘으며 놀면
안 되겠네. 네 꽃이 깜짝
놀랄 테니까.

B612

어린 왕자와
장미꽃은
어떤 사이야?
너와 나처럼
서로에게
하나뿐인 존재야.
<어린 왕자>를
읽어 보면
알 수 있겠지?
박테리아
고로케
튜브
팬티맨

PART 1

명작 살펴보기

순수한 어린 왕자가 가르쳐 주는
진실은 무엇인지 알아볼까?

명작 살펴보기

중요한 건 눈에 보이지 않아!

어린 왕자가
비밀을
가르쳐 줄까?

번빠리와 뒤뚱이와 팬티맨이 우주선에 타고 있네요. 우주 탐사에 나섰냐고요? 천만에요. 어린 왕자가 사는 소행성 B612에 가겠다고 하는군요. 아! 저기 멀리 어린 왕자가 사는 별이 보이네요. 작긴 하지만 참으로 아름다운 별이군요.

멀고 먼 이곳까지 와 주다니…….
어머! 어린 왕자 정말 잘생겼다!
잘생기긴 했구먼 뭐.
쳇! 잘생기긴 뭐가 잘생겼다고 저 난리야?
사하라 사막에 가면 여우가 있거든. 여우한테 가서 물어 봐.
눈을 크게 뜨고 보면 되는거 아니야?
중요한 걸 보려면 어떻게 해야 하지용?
딱 내 이상형이야!
어머 어머, 정말 꼴불견이다.
사실 그 비밀은 아주 간단한 거야.
쉿! 어린 왕자가 비밀의 열쇠는 여우가 가지고 있다고 하네요.
그 비밀은 무엇일까요? 자, 그럼 어린 왕자와 함께
사하라 사막으로 **여행을 떠나 볼까요?**

순수함과 상상력을 잃어버린 어른들

아름다운 어린 시절의 추억을 간직하고 있는 생텍쥐페리는 〈어린 왕자〉 첫 장에서 재미 있는 그림을 보여 주고 있어요. 코끼리를 통째로 삼킨 보아 구렁이를 그린 그림인데, 속이 보이는 보아 구렁이와 속이 보이지 않는 보아 구렁이이지요.

그 그림을 어른들에게 보여 주며 무섭지 않냐고 묻자 "모자가 왜 무섭냐?"고 되물어요. 오로지 눈에 보이는 것만을 볼 줄 아는 어른들은 어린이의 순수한 마음과 상상력을 잃어버린 것입니다.

작가 생텍쥐페리는 사하라 사막에서 만난 어린 왕자가 양을 그려 달라고 하자 세 마리의 양을 그려 주지만 번번이 퇴짜를 맞아요. 결국 "네가 바라는 양은 이 안에 들어 있다."며 상자를 하나 그려 주지요. 상자 그림을 본 어린 왕자는 뛸 듯이 기뻐합니다. 어린 왕자는 마음의 눈으로 양을 본 것이지요.

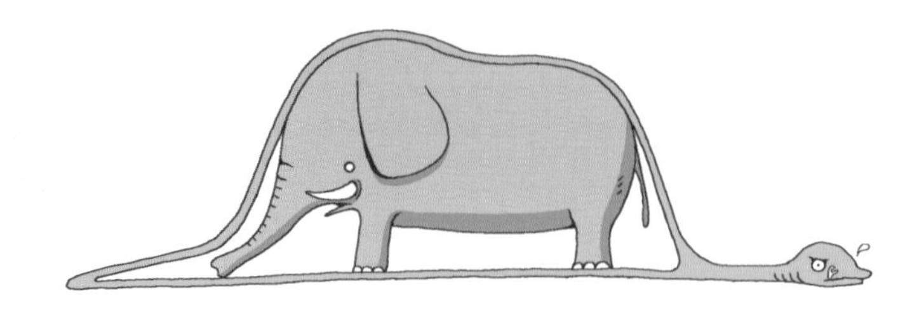

쉿! 이건 정말 비밀이에요

작가 생텍쥐페리는 〈어린 왕자〉를 통해 모순투성이에 어리석기 짝이 없는 어른들을 비난하고 있어요. 어린 왕자는 어른들은 숫자를 좋아하고 화려한 겉치레를 중요시하며 어린이들이 설명을 해 줘야만 이해를 하는 사람들이라고 했지요.

그런 어린 왕자에게 일곱 번째 별 지구의 사하라 사막에서 만난 여우는 비밀을 가르쳐 준다며 가장 중요한 것은 눈에 보이지 않는다고 했어요.

우리 주위에 중요하지만 눈으로 볼 수 없는 것들에는 무엇이 있는지 〈어린 왕자〉를 읽으며 한 번 생각해 볼까요?

80개 국어로 번역된 〈어린 왕자〉는 프랑스 문학 가운데 가장 많이 읽히는 이야기야.

한눈에 살펴보기
나는 명령을
내리기를 좋아하는
왕이니라.
나는 어린 왕자야.
내 별에서는 해가 지는
모습을 마흔세 번이나
볼 수 있단다.
나는 장미꽃이야.
콜록 콜록. 어린 왕자가
나를 두고 떠나서 무척
슬프단다.
B612

그래도 우리
어린이는 그런
어른들을 이해해.

어린 왕자가 만난 어른들

철새들의 이동을 이용해 자기 별을 빠져 나온 어린 왕자는 여러 별을 여행하면서 다양한 어른들을 만납니다. 첫 번째 별에서는 명령을 내리기를 좋아하는 왕을 만나지요. 그것은 군림하려고만 드는 어린들을 가리켜요. 두 번째 별에 사는 자만심으로 가득 찬 사람은 자기를 칭찬하는 말 이외에는 아무 말도 듣지 않아요. 위선 속에 사는 어른을 말하지요. 세 번째 별에 사는 사람은 술 마시는 게 부끄러워 술을 마신다는 술꾼이에요. 희망도 없이 허무주의에 빠진 어른이지요.

그 외에 어린 왕자는 우주의 5억 개의 별이 모두 자기 것이라는 사업가, 자기가 맡은 일을 성실하게 해내는 가로등을 켜는 사람, 행동이 결여된 지리학자 등을 만나요. 작가 생텍쥐페리가 이 인물들을 통해 어떤 의미를 전달하려고 했는지를 생각하며 어린 왕자를 읽어 보세요.

작가 생텍쥐페리는
정찰 비행을 나갔다가 어느 날
갑자기 실종됐대. 어린 왕자가
사는 별에 간 걸까?

◀ 어린 왕자는 첫 번째 별에서 명령을 내리기를 좋아하는 왕을 만납니다.

PART 2

명작 읽기

천진난만한 어린 왕자와
애교 많은 장미꽃이
사는 별로 초대할게.

명작 읽기

이 책을 레옹 베르트에게 바치며

이 책을 한 어른에게 바치는 것을 어린이들이 너그럽게 이해해 주었으면 해.
여기에는 아주 중요한 이유가 있거든.
레옹은 내게 이 세상 최고의 친구이기 때문이야.
또 다른 이유는 레옹이라는 어른이 모든 것을, 심지어는 어린이를 위한 책들까지도 얼마든지 이해하기 때문이야. 세 번째 이유는 그가 굶주림과 추위에 떨며 프랑스에 살고 있기 때문이야.

그에게는 따스한 위로와 격려가 필요해.
이 모든 이유로도 충분하지 않다면 어린 시절의
그에게 이 책을 바치겠어.
원래는 어른들도 모두 어린이였잖아. 다만 그것을
기억하는 어른들이 흔하지 않을 뿐이지.
그래서 나는 이 '바치는 말'을 이렇게 고치기로
했단다.

"이 책을 어린 소년이었을 때의 레옹
베르트에게 바친다."

1

여섯 살 때 나는 굉장한 그림 하나를 보았다. 원시림에 관한 이야기를 다룬 〈자연계의 실화〉라는 책에서였다. 그것은 짐승을 통째로 집어삼키고 있는 보아 구렁이의 모습이었다. 이 그림은 그것을 베껴 그린 것이다.

책에는 이렇게 쓰여 있었다. "보아 구렁이는 먹이를 씹지도 않고 통째로 삼켜 버린다. 그러고는 몸을 움직일 수조차 없어서 여섯 달 동안 잠을 자며 소화를 시켜야 한다."

그림을 본 나는 밀림에서 벌어지는 온갖 모험에 대해 골똘히 생각해 보았다. 그러다가 색연필을 쥐고 몇 차례

널 잡아 먹으면
나는 여섯 달 동안
편히 쉴 수 있다고!
여섯 달 동안이나
구렁이 뱃속에
있어야 한다고?

씨름을 한 끝에 마침내 그림을 하나 그렸다. 나의 그림 제 1호였다. 바로 이런 그림이었다.

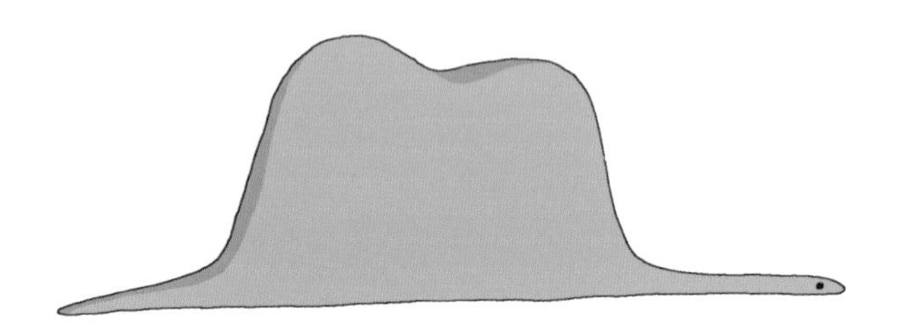

나는 그 걸작傑作을 어른들에게 보여 주며 무섭지 않으냐고 물었다. 대답은 한결같았다.

"무서워? 모자가 뭐가 무섭다는 거니?"

나는 모자를 그린 게 아니었다. 그 그림은 코끼리를 삼킨 보아 구렁이였다. 하지만 그것을 알아보는 어른은 단 한 사람도 없었다. 하는 수 없어 어른들이 확실히 알아볼 수 있도록 보아 구렁이의 속을 그렸다. 어른들은 언제나 설명을 해 주어야만 비로소 이해한다.

걸작(傑作) : 매우 훌륭한 작품.

나의 그림 제2호는 이것이었다.

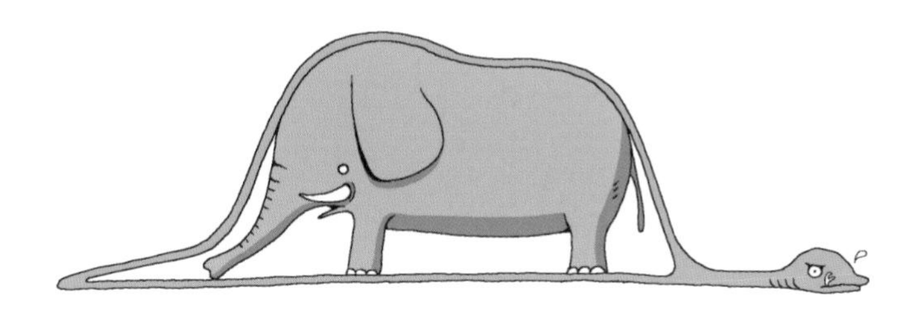

이 그림을 본 어른들은 하나같이 나를 타일렀다. 보아구렁이의 속이나 겉모습 따위를 그리는 일은 그만 집어치우라고. 그 대신 지리나 역사, 산수나 문법 등에 관심을 기울여 보라는 것이었다.

나는 겨우 여섯 살이라는 나이에 화가라는 근사한 직업을 포기할 수밖에 없었다. 나의 그림 제1호와 제2호의 잇단 실패에 기가 꺾여 버렸던 것이다.

어른들은 도무지 스스로 이해할 수 있는 것이 하나도 없다. 그런 어른들에게 언제나 끊임없이 설명하는 일은 어린이로서는 정말이지 성가시고 피곤한 노릇이다.

그리하여 다른 직업을 택해야만 했던 나는 비행기를 조

종하는 법을 배웠다. 세계 곳곳의 하늘을 거의 빠짐없이 날아다닌 내게 지리는 많은 도움이 된 게 사실이다. 슬쩍 보기만 해도 나는 중국과 애리조나를 단박에 구별해 낼 수 있다. 밤하늘에서 길을 잃었을 경우 이런 실력은 참으로 쓸모 있는 것이다.

나는 살아오면서 수많은 사람들과 만났다. 그들과 얼굴을 마주하고 친밀하게 지냈지만 어른들에 대한 내 생각은 별로 달라지지 않았다.

어른들 가운데 제법 눈썰미가 있어 보이는 사람을 만날 때면 나는 늘 지니고 다니던 나의 그림 제1호로 그 사람을 시험해 보았다. 그 사람이 참된 이해력을 지녔는지 궁금했던 것이다.

그러나 대답은 한결같았다.

"모자로군요."

나는 그런 사람 앞에서는 절대 보아 구렁이나 원시림에 대한 이야기를 꺼내지 않았다. 이야깃거리를 그 사람의 수준에 맞게 낮추었다. 트럼프나 골프, 정치나 넥타이 따위에 대해 이야기하는 것이다. 그러면 그 어른들은 꽤 괜찮은 사람을 만났다며 몹시 기뻐했다.

2

그래서 나는 속마음을 털어놓을 친구 하나 없이 홀로 살아왔다. 사하라 사막에서 비행기가 말썽을 일으켰던 6년 전까지. 비행기 엔진 어딘가가 망가져 버렸던 것이다. 정비사도 승객도 없었으므로 혼자서 그 어려운 수리를 해 보겠다고 마음먹었다. 그것은 내게 죽느냐 사느냐의 문제였다. 마실 물은 기껏해야 일주일치가 고작이었다.

사막에서의 첫날 밤, 나는 사람들이 사는 곳으로부터 수천 킬로미터나 떨어진 모래 위에서 잠이 들었다. 뗏목 하나에 의지하여 망망대해茫茫大海를 떠도는 난파선의 선원보다도 외로운 처지였다.

망망대해(茫茫大海) : 한없이 크고 넓은 바다.

그러니 해 뜰 무렵 낯선 목소리가 나를 깨웠을 때 내가 얼마나 놀랐을지는 짐작이 가고도 남을 것이다. 그 목소리는 나지막했다.

"저, 양 한 마리만 그려 줘."

"뭐?"

"양 한 마리만 그려 줘!"

나는 그야말로 벼락이라도 맞은 듯 기겁을 해서 벌떡 일어났다. 그러고는 찬찬히 주위를 살펴보았다. 목소리의 주인공은 작은 사내아이였다. 그는 심각한 표정으로 나를 빤히 바라보았다.

오른쪽 그림은 나중에 그 사내아이를 그린 것 가운데 가장 잘된 것이다. 하지만 원래 모델에 비하면 그야말로 형편없는 그림에 지나지 않는다.

그렇다고 해도 내 잘못은 아니다. 화가가 되고 싶다는 나의 꿈은 어른들에 의해 꺾이지 않았던가. 여섯 살 적에 겉모습과 속이 보이는 보아 구렁이 외에는 그림을 그려 본 적이 없다.

나는 소행성 B612에 산단다. 내 별에는 애교 많은 장미꽃이 한 송이 있어.

깜짝 놀란 나는 두근거리는 마음을 애써 가라앉히며 난데없이 나타난 사내아이를 살펴보기 시작했다.

내가 불시착不時着한 곳은 사람들이 사는 곳에서 수천 킬로미터나 떨어진 사막 한가운데였다. 하지만 이 아이는 길을 잃은 것 같지는 않았다. 전혀 피로해 보이지도 않았다. 배가 고프거나 목이 마른 기색은 물론 겁먹은 기색조차 없었다.

도대체가 사람 사는 곳에서 수천 킬로미터나 동떨어진 사막 한가운데에서 길을 잃은 아이 같은 구석이라고는 찾아볼 수가 없었다.

"그런데 너, 여기서 뭐하는 거니?"

그러자 그는 굉장히 중요한 문제를 이야기하듯 아주 천천히 되풀이하여 말하는 것이었다.

"저, 있잖아, 양 한 마리만 그려 줘……."

너무나 터무니없는 일을 당하면 뭘 어찌해야 할지 당황

불시착(不時着) : 뜻하지 아니한 착륙.

하게 마련이다. 이 경우가 바로 그랬다. 사람이 사는 곳에서 수천 킬로미터나 떨어진 사막에서 죽느냐 사느냐 하는 갈림길에 놓여 있지 않은가.

하지만 나는 주머니에서 만년필萬年筆과 종이 한 장을 꺼내 들었다.

그제야 나는 내가 배운 것이라고는 지리, 역사, 산수, 문법 따위가 고작이라는 생각이 떠올랐다. 시무룩해진 나는 아이에게 그림을 그릴 줄 모른다고 말했다.

"아무래도 상관없어. 양 한 마리만 그려 줘."

평생 양이라고는 그려 본 적이 없었다. 그래서 나는 내가 그릴 줄 아는 두 가지 그림 가운데 하나를 그려 주기로 했다. 바로 보아 구렁이의 겉모습이었다. 그 그림을 본 아이의 대답은 너무나 뜻밖이었다.

"아냐, 아냐! 내가 언제 코끼리를 삼킨 보아 구렁이를 그려 달랬어? 보아 구렁이는 너무 위험하고, 코끼리는 너

만년필(萬年筆) : 펜대 속의 잉크가 흘러나와 오래 쓸 수 있는 펜의 하나.

무 크고 무거워. 내가 사는 곳은 뭐든지 아주 작아. 내가 원하는 건 양이야. 양 한 마리만 그려 줘."

나는 어설프게나마 양을 그려 보았다. 아이는 그림을 자세히 들여다보더니 말했다.

"이 양은 병이 들었잖아. 다른 양을 그려 줘."

내가 다시 그려 주자 내 친구는 빙그레 웃으며 말했다.

"아이, 아저씨도 참! 이건 숫양이야. 뿔이 났잖아."

아이는 그림 속의 뿔을 가리키며 나를 바라보았다.

새로 다시 그려 준 그림도 퇴짜를 맞았다.

"이건 너무 늙었어. 내가 바라는 건 오래오래 살 수 있는 양이야."

나의 참을성은 이쯤에서 바닥을 드러냈다. 서둘러 엔진을 분해해 보아야 했던 것이다. 그래서 이렇게 대충 그려 주었다.

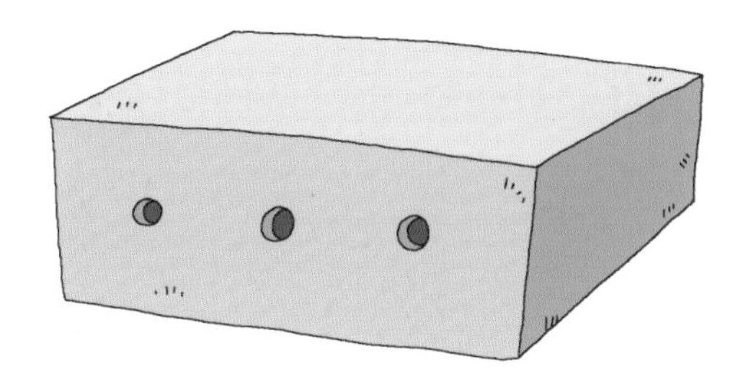

"이건 상자야. 네가 바라는 양은 이 안에 들어 있어."

내 어린 심사 위원의 얼굴이 환해진 건 의외였다.

"내가 원했던 게 바로 이거야! 그런데 이 양에게는 풀을 많이 줘야 할까?"

"왜?"

"내가 사는 곳은 뭐든지 아주 작거든."

나는 말해 주었다.

"풀은 넉넉하고도 남을 거야. 이 양도 아주 작거든."

아이는 고개를 숙여 그림을 들여다보며 말했다.

"그렇게 작은 것 같지도 않은걸. 앗, 양이 잠들었어."

어린 왕자와의 만남은 이렇게 시작되었다.

3

그가 어디서 왔는지 알게 되기까지는 오랜 시간이 걸렸

다. 어린 왕자는 내게 많은 것을 물었다. 하지만 내가 묻는 말에는 도무지 귀를 기울이는 것 같지 않았다. 그때그때 우연히 튀어나오는 말들을 통해 나는 조금씩 조금씩 그에 대한 모든 것을 알게 되었다.

예를 들어 내 비행기를 처음 보았을 때 그는 이렇게 물었다.

“이게 무슨 물건이야?”

“그건 물건이 아니라 날아다니는 거야. 비행기라고 하지. 내 비행기란다.”

날 수 있다는 사실을 자랑스러워하며 내가 말했다.

“뭐? 아저씨가 하늘에서 떨어졌다고?”

“그래.”

나는 겸손한 척하며 대답했다.

“우아, 그것 참 재미있는걸!”

천진난만하게 깔깔대는 어린 왕자의 웃음이 내겐 그렇게 야속할 수가 없었다. 사막에 불시착한 나의 불운을 심각하게 여겨 주기를 바랐던 것이다.

"그러니까 아저씨도 저 하늘에서 왔단 말이지! 그럼 아저씨 별은 어떤 거야?"

순간 내 머릿속에 한줄기 빛이 새어 들어왔다. 그 빛은 내 친구의 신비한 정체를 밝혀 줄 것만 같았다. 나는 급히 다그쳐 물었다.

"넌 다른 별에서 왔니?"

그러나 그는 대꾸하지 않았다. 내 비행기에서 눈을 떼지 않은 채 조용히 고개를 끄덕이며 중얼거릴 뿐이었다.

"저런 걸 타고 왔다면 그다지 멀리서 온 건 아니겠구나."

그는 이내 무슨 생각엔가 골똘히 잠겼다. 한참 동안 미동도 하지 않던 그는 내가 그려 준 양 그림을 주머니에서 꺼내들었다. 무슨 보물이라도 되는 듯 고개를 파묻고 가만히 들여다보았다.

'다른 별'이라는 말에 나의 궁금증은 꼬리에 꼬리를 물었다. 나는 호기심을 억누르지 못하고 궁금증을 풀기 위한 노력을 아끼지 않았다.

"이봐, 어린 친구. 넌 어디서 온 거니? '내가 사는 곳'

이라는 데가 대체 어디야? 그 양을 어디로 데려갈 거지?"

아무 말 없이 생각에 잠겨 있던 그가 대답했다.

"아저씨가 준 상자는 밤이면 양의 집으로도 쓸 수 있을 테니 참 잘된 일이야."

"그렇고말고. 말만 잘 듣는다면 낮 동안에 양을 매어 둘 수 있도록 끈하고 말뚝도 그려 줄 수 있단다."

어린 왕자는 나의 말에 충격을 받은 것 같았다.

짐승도 자유롭게
돌아다닐 권리가
있다고!

"양을 매어 두다니, 말도 안 돼!"

"하지만 잘 묶어 두지 않으면 아무 데나 돌아다니다가 길을 잃을지도 몰라."

내 친구는 나의 말에 다시금 깔깔대고 웃기 시작했다.

"가긴 대체 어딜 간다는 거야?"

"어디든 무조건 앞으로 가겠지."

그러자 어린 왕자는 진지하게 말했다.

"괜찮아. 내가 사는 곳은 아주 작으니까!"

그러고는 서글픈 표정을 지으며 덧붙였다.

"아무리 앞으로 가 봐야 멀리 갈 수는 없어."

4

이리하여 나는 두 번째로 중요한 사실을 알게 되었다. 바로 그가 사는 별이 겨우 집 한 채보다 클까 말까 하다는 것이었다. 내게는 그다지 놀라운 일도 아니었다. 지구나 목성, 화성, 금성같이 사람들이 이름을 붙여 놓은 커다란 행성行星들 말고도 수많은 별이 있는데, 그 가운데는 망원경으로도 찾아내기 어려울 정도로 작은 별들이 적지 않다는 사실을 나는 잘 알고 있었다. 천문학자들은 그런 별을 발견하면 이름 대신에 그저 번호를 매겨 준다. 이를테면 '소행성小行星 325'와 같은 식으로 말이다.

행성(行星) : 태양 주위를 돌며 태양빛을 반사하여 빛나는 천체.

소행성(小行星) : 화성과 목성 사이에서 태양의 둘레를 공전하는 작은 행성으로 무수히 많은 수가 존재하며 대부분 반지름이 50킬로미터 이하임.

내 별에 놀러 오면
깜짝 놀랄걸.
무척 조그맣거든.
B612

나에게는 어린 왕자가 살던 별이 B612라는 소행성이라고 믿을 만한 상당한 근거가 있다. 그 소행성은 단 한 번 망원경을 통해 관찰되었을 뿐이다. 1909년 터키의 천문학자에 의해서였다.

당시 그 천문학자는 국제천문학회에서 자신의 발견을 더할 나위 없이 훌륭하게 증명해 보였다. 하지만 그가 터키 전통 의상을 입었기 때문에 아무도 그의 말을 믿으려 들지 않았다. 어른들이란 늘 이런 식이다.

소행성 B612의 명예 회복이라는 측면에서 보자면 그나마 다행스러운 일이 있었다. 그것은 터키의 독재자가 국민에게 서양식 옷을 입지 않으면 사형에 처한다는 법을 만든 것이었다.

그리하여 그 천문학자는 1920년에 근사한 양복을 멋들어지게 차려입고 다시금 증명을 했다. 그러자 이번에는 모든 사람이 그의 보고를 인정했다.

내가 이 소행성에 대해 이토록 자세히 이야기하며 그 번호까지 언급하는 이유는 다름 아닌 어른들의 생각하는

왜 아무도
내 말을 믿지
않는 거지?
근사한 옷차림을
해야만 나를
인정한다고!

방식 때문이다. 어른들에게 친구를 새로 사귀었다고 이야기하면 정작 중요한 것은 결코 묻는 법이 없다.

"목소리는 어때? 제일 좋아하는 놀이는 뭐니? 나비 채집도 하니?"

이런 것은 절대 묻지 않는다. 대신 어른들은 묻는다.

"몇 살이니? 형제는 몇 명이래? 몸무게는 얼마나 되니? 아버지 수입은 얼마래?"

어른들은 단지 이런 숫자들을 통해 그 아이의 모든 것을 알았다고 여기는 것이다.

"아름다운 장밋빛 벽돌집을 봤어요. 창가에는 제라늄 화분이 놓여 있고 지붕 위에는 비둘기들이 노닐고 있었죠."

이렇게 말하면 어른들은 그 집이 어떤 집인지 아예 상상조차 하지 못한다.

"100억 원짜리 집을 보았어요."

그러면 어른들은 대번에 탄성을 내지를 것이다.

"이야, 정말 근사한 집이겠구나!"

"어린 왕자가 존재했다는 증거는 바로 그가 매력이 넘

쳤고, 잘 웃었으며, 양을 찾고 있었다는 거야. 누군가 양을 갖고 싶어 한다면 그건 곧 그가 존재한다는 증거지."

어른들에게 이런 식으로 말해서는 아무 소용이 없다. 그들은 이런 말을 들으면 그저 어깨를 한번 으쓱하고는 여러분을 곧장 어린애 취급할 것이다.

"그는 소행성 B612에서 왔어."

이렇게 말하면 어른들은 이내 고개를 끄덕인다. 그러고는 더 이상 귀찮은 질문을 하지 않을 것이다.

어른들은 다 그렇다. 그러나 그들을 나쁘게만 생각하면 안 된다. 어린이는 언제나 다 자란 어른들에게 너그러이 관용寬容을 베풀 줄 알아야 한다.

물론 우리처럼 인생을 이해하는 사람들은 결코 숫자 따위에 아랑곳하지 않는다. 나는 원래 이 이야기를 동화처

관용(寬容) : 남의 잘못을 너그럽게 받아들이거나 용서함.

럼 시작하고 싶었다. 이렇게 말이다.

"옛날 아주 먼 옛날에 자기 몸집보다 조금 클까 말까 한 어느 별에 양을 갖고 싶어 하는 어린 왕자가 살았지."

인생을 이해하는 사람들에게는 이쪽이 훨씬 더 참된 느낌을 주었을 것이다.

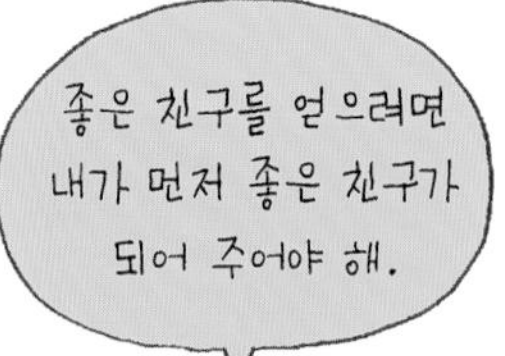

좋은 친구를 얻으려면
내가 먼저 좋은 친구가
되어 주어야 해.

나는 사람들이 이 책을 건성으로 읽기를 바라지 않는다. 나는 이 추억을 적어 내려가면서 너무나도 깊은 슬픔에 괴로워했다.

내 친구가 그의 양과 함께 내게서 떠나간 지 어느덧 여섯 해가 흘렀다. 내가 여기서 그에 대해 쓰려는 것도 실은 그를 결코 잊지 않기 위해서다.

친구를 잊는다는 건 슬픈 일이다. 누구나 다 친구를 가져 보는 것은 아니다. 아울러 내가 그를 잊는다면, 나 또한 숫자 말고는 그 무엇에도 관심이 없는 어른들처럼 될지도 모른다.

내가 새삼스레 그림물감 한 상자와 연필 몇 자루를 산 것 역시 같은 까닭에서였다. 여섯 살 적에 보아 구렁이의 겉모습과 속이 보이는 모습을 그려 본 이후, 그림이라고는 도무지 그려 본 적이 없는 내가 이 나이에 다시 그림을 그리기란 정말 힘든 노릇이다. 되도록 실물實物에 가까운 초상화를 그리려 최선을 다하겠다. 하지만 정말 그렇게 될지는 별로 자신이 없다. 어떤 그림은 그런대로 괜찮은가 하면, 어떤 그림은 실물과 영 딴판이 되기도 했다.

어린 왕자의 키에 대해서도 마찬가지다. 어디서는 키가 지나치게 큰가 하면, 또 다른 데에서는 너무 작게 그렸다. 아울러 그의 옷 색깔 역시도 미심쩍은 부분이 없지 않다. 하지만 더듬더듬 서툴게나마 최선을 다하다 보면 잘된 것도, 그렇지 않은 것도 있을 것이다. 그러면서 그저 중간쯤만 되기를 바랄 따름이다.

어쩌면 정작 중요한 부분을 잘못 그리는 실수를 저질렀

실물(實物) : 실제로 있는 물건이나 사람.

을지도 모른다. 반드시 내 탓만은 아니다. 내 친구는 내게 그 어떤 설명도 해 준 적이 없다. 어쩌면 내가 자기와 비슷하다고 여겼는지도 모르겠다.

아아, 그러나 나는 상자 속의 양을 볼 줄 모른다. 나도 약간은 어른들과 비슷한 데가 있는 것 같다. 어쩔 수 없이 나이를 먹은 것이다.

5

하루하루 지남에 따라 나는 우리 사이에 오간 대화를 통해 어린 왕자의 별이며 그곳에서 떠날 때의 일, 그의 여정旅程 등에 대해 어렴풋이나마 알게 되었다.

무심결에 그의 입에서 흘러나오는 말을 통해 아주 조금씩 천천히 알게 되었다. 바오바브나무가 일으키는 재앙에 대해 알게 된 것도 사흘째 되던 날, 그렇게 해서였다.

여정(旅程) : 여행의 과정이나 일정.

이번에도 역시 양 덕택이었다. 심각한 표정을 지으며 어린 왕자가 느닷없이 물었다.

"그게 정말이야? 양이 작은 나무를 먹는다면서? 정말 그래?"

"그럼, 그건 사실이야."

"아, 참 다행이다."

양이 작은 나무를 먹는다는 게 왜 그토록 중요한지 나는 이해할 수 없었다.

어린 왕자의 질문은 이어졌다.

"그럼 당연히 바오바브나무도 먹겠지?"

나는 어린 왕자에게 바오바브나무가 작기는커녕 오히려 성당만큼이나 거대하며, 설사 코끼리들을 떼로 몰고 간다고 해도 바오바브나무 한 그루조차 먹어 치우지 못할 것이라고 일러 주었다.

코끼리 떼라는 말에 어린 왕자는 웃으며 말했다.

"그럼 코끼리들한테 서로서로 등 위에 올라타라고 해야겠는걸."

바오바브나무는
높이 20미터, 둘레 10미터,
퍼진 가지 길이가 10미터 정도나
되는 큰 나무야. 나이가
2천 살이 넘는 것도 있대.

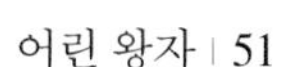

그러더니 다음과 같이 깜찍한 소리를 하는 것이었다.

"아무리 커다란 바오바브나무라도 처음에는 작은 싹이 잖아."

나는 대답했다.

"당연하지, 그렇고말고. 그런데 왜 양이 바오바브나무를 먹었으면 하는 거지?"

"아이 참, 아저씨도!"

어린 왕자는 말할 필요도 없이 뻔한 것 아니냐는 식으로 한마디할 뿐이었다. 나는 그 문제를 놓고 한참이나 끙끙대며 씨름을 해야 했다.

이유는 이렇다. 어느 별이나 마찬가지겠지만 어린 왕자가 살던 별에도 좋은 식물植物들과 나쁜 식물들이 있었다. 따라서 좋은 식물의 좋은 씨앗들과 나쁜 식물의 나쁜 씨앗들이 있었다.

식물(植物) : 생물계의 두 갈래 가운데 하나로 엽록소를 가지고 있어 광합성으로 영양분을 보충하고 꽃과 홀씨주머니 따위의 생식 기관이 있음.

하지만 씨앗들은 눈에 보이지 않는다. 그것들은 깊고 어두운 땅속에 잠들어 있는 것이다.

그러다가 그 가운데 어느 하나가 문득 깨어나고 싶은 욕망에 사로잡히면 그 작은 씨앗은 수줍고 조심스레 기지개를 켜기 시작한다.

그러고는 귀엽고 조그마하며 아무 해될 것 없는 싹을 태양을 향해 내미는 것이다. 그것이 무의 순이나 장미의 어린 싹이라면 얼마든지 마음대로 자라나도록 내버려 두어도 된다. 하지만 그것이 나쁜 식물일 경우라면 눈에 띄는 곧바로 뽑아 버려야 한다.

그런데 어린 왕자의 별에는 무시무시한 씨앗들이 있었다. 바로 바오바브나무의 씨앗들이었다. 그 별의 흙 속에는 바오바브나무의 씨앗들이 우글우글했다.

게다가 바오바브나무는 일찌감치 발견하지 않으면 아예 없애 버릴 수조차 없다. 바오바브나무는 순식간에 별 전체를 뒤덮고, 그 뿌리로 별을 온통 꿰뚫어 버린다.

만약 아주 작은 별에 바오바브나무가 지나치게 많다면

이렇게
자라 버리면
어떡하라고?

그 별은 산산조각으로 부서져 버리고 마는 것이다.

"그건 버릇 들이기 나름이야."

나중에 어린 왕자는 말했다.

"아침에 일어나 몸단장을 마치고 나면 별도 꼼꼼히 살펴 가며 내 몸처럼 정성껏 손질을 해 주어야 해. 아주 어린 바오바브나무는 장미와 구별하기 어렵기 때문에 장미와 구별할 수 있을 정도로 자라기만 하면 그때그때 곧바로 뽑아 버려야 해. 몹시 귀찮고 지루한 일이기는 하지만 어려울 건 하나도 없어."

또 하루는 내게 말했다.

"아저씨는 멋지고 아름다운 그림을 그려야 해. 이곳에 사는 아이들이 이 모든 것을 똑똑히 볼 수 있도록 말이야. 언젠가 아이들이 여행을 떠나게 되면 그건 큰 도움이 될 거야."

어린 왕자는 말을 이어 갔다.

"당장 할 일을 나중으로 미룬다고 꼭 무슨 탈이 나는 건 아니야. 하지만 바오바브나무의 경우에도 그렇게 했다가는 커다란 재난을 당하게 될 거야. 나는 게으름뱅이가 살았던 별을 하나 알고 있어. 그는 작은 나무 세 그루를 소홀히 내버려 두었다가……."

그리하여 나는 어린 왕자가 가르쳐 주는 대로 그 별을 그렸다.

나는 무슨 성인군자와 같은 투로 말하고 싶지는 않다. 그러나 바오바브나무의 위험성은 거의 알려져 있지 않고, 소행성에서 길을 잃은 사람이 겪게 될 위험이 너무나 크기 때문에 나는 굳이 침묵沈默을 깨고 분명한 목소리로 크게 외친다.

"어린이들이여, 바오바브나무를 조심하라!"

내 친구들도 나와 마찬가지로 오래전부터 이 위험에 둘러싸여 있었다. 하지만 아무도 그것을 깨닫지 못하기 때문에 나는 더욱 열심히 바오바브나무 그림을 그렸다. 내가 이 그림을 통해 전달하고자 하는 교훈은 어떠한 수고

침묵(沈默) : 아무말도 없이 잠잠히 있음.

난 해질 무렵
석양을 바라보는 게
유일한 즐거움이야.

도 아끼지 않을 만큼 충분한 가치가 있는 것이다.

여러분은 이렇게 물을지도 모르겠다.

"이 책에는 왜 이 바오바브나무의 그림만큼 훌륭하고 인상적인 그림들이 또 없을까?"

대답은 간단하다. 나도 노력은 했다. 다만 다른 그림의 경우에는 뜻대로 되지 않았을 뿐이다. 바오바브나무를 그릴 때에는 절실한 필요를 느껴 온갖 정성을 기울임으로써 평소답지 않은 힘을 냈던 것이 분명하다.

6

아, 어린 왕자! 너의 쓸쓸하고 단조로운 생활을 나는 조금씩 알게 되었어.

저물녘 지는 해를 바라보는 잔잔한 기쁨이 오래도록 너의 유일한 낙이었다는 것도. 나는 그 새로운 사실을 나흘째 되는 날 아침, 네가 하는 말을 통해 알았지.

"나는 해질 무렵이 참 좋아. 우리 함께 석양을 보러 가."

"좀 기다려야 해."

내가 말했다.

"기다린다고? 뭘?"

"석양夕陽 말이야. 때가 될 때까지 기다려야지."

너는 처음에는 몹시 어리둥절해 했어. 하지만 너는 곧 자기가 한 말에 웃음을 터뜨리고 말았지. 웃음이 그친 너는 말했어.

"나는 자꾸만 내 별에 있는 줄 착각한다니까!"

바로 그랬다. 누구나 아는 이야기이지만 미국이 한낮일 때 프랑스에서는 해가 진다.

단숨에 프랑스로 날아갈 수만 있다면 한낮에 석양을 보는 것이 가능하다. 그러나 아쉽게도 프랑스는 미국에서 너무 멀리 떨어져 있다.

하지만 어린 왕자의 조그만 별에서는 의자를 몇 발짝 뒤로 옮기기만 하면 되는 것이다. 원하기만 한다면 언제

석양(夕陽) : 저녁때의 햇빛. 또는 저녁때의 저무는 해.

라도 하루 온종일 황혼을 바라볼 수 있었다.

어린 왕자는 말했다.

"해가 지는 모습을 마흔세 번이나 본 날도 있어!"

그리고 잠시 뒤 그는 다시 말을 꺼냈다.

"있잖아……. 누군가가 석양을 좋아한다는 건 그 사람이 그만큼 슬프다는 거야."

어린 왕자는 지는
해를 바라보며 쓸쓸한
마음을 달랬던 거야.

"너도 그토록 슬펐던 거야? 석양을 마흔세 번이나 보았다는 날 말이야."

내가 물었지만 어린 왕자는 아무 대답이 없었다.

7

닷새째 되는 날, 이번에도 역시 양 덕분에 어린 왕자의 비밀을 하나 더 알게 되었다. 오래도록 혼자서 곰곰이 생각하던 끝에 튀어나온 말인 듯했다.

어린 왕자는 밑도 끝도 없이 내게 불쑥 물었다.

"저…… 양 말인데, 작은 나무를 먹는다면 당연히 꽃도 먹겠지?"

"양은 뭐든지 닥치는 대로 먹지."

내가 대답했다.

"가시가 있는 꽃도?"

"그럼, 가시가 있는 꽃도 먹고말고."

"그렇다면 가시는 무슨 쓸모가 있지?"

그건 나도 알 수 없었다. 나는 그때 엔진을 꽉 조인 채 꿈쩍달싹하지 않는 볼트를 푸느라 정신이 없었다. 고장이 난 비행기의 상태는 상당히 심각했다. 게다가 마실 물마저 바닥을 드러내고 있었다. 나는 걱정과 두려움에 사로잡혀 있었다.

양분을 이용해 가시를 만들어 스스로를 보호하는 식물이 있단다. 잎이나 줄기, 털 등이 변해 가시가 되지.

"가시는 대체 왜 있는 거지?"

어린 왕자는 한번 질문을 하면 답을 얻기 전까지는 포기하는 법이 없었다. 하지만 볼트 때문에

신경이 곤두서 있던 나는 그냥 머릿속에 떠오르는 대로 아무렇게나 대답해 버렸다.

"가시 따위는 아무짝에도 소용이 없어. 꽃들이 공연히 심술부리는 거지!"

"정말?"

얼마 동안 침묵이 흘렀다.

잠시 뒤 어린 왕자는 못마땅하다는 말투로 쏘아붙였다.

"거짓말! 꽃들은 연약한 존재야. 그지없이 순진하고. 나름대로 최선을 다해 스스로를 지키려는 거야. 꽃들은 자기가 지닌 가시가 무시무시한 무기라고 여기거든."

나는 아무 대꾸도 하지 않았다. 그때 나는 속으로 '이 놈의 볼트가 계속 안 돌아가고 버티면 망치로라도 두들겨 봐야지.'라고 중얼거리고 있었다.

어린 왕자가 다시금 내 생각을 방해했다.

"그럼 아저씨는 꽃들이 정말로……."

"그만 좀 해!"

나는 버럭 소리쳤다.

"제발 그만 좀 하라고! 그깟 꽃들 내 알 바 아냐. 나는 그저 아무렇게나 생각나는 대로 대답했을 뿐이라고. 내가 지금 중요한 일로 바빠 죽겠는 게 안 보이니?"

그는 벼락이라도 맞은 듯 놀란 눈으로 바라보았다.

"중요한 일?"

어린 왕자의 눈에는 무척이나 흉측하게 보일 물건 위로 몸을 기울인 채 시커멓게 기름투성이가 된 손에 망치를 들고 있는 나의 모습을 그는 물끄러미 바라보았다.

"꼭 어른들처럼 말하네!"

그 말에 나는 약간 부끄러움을 느꼈다.

"아저씨는 온통 뒤죽박죽이야. 모든 것을 혼동混同하고 있잖아."

어린 왕자는 화가 잔뜩 나 있었다.

그의 금빛 머리칼은 바람에 물결치고 있었다.

"나는 붉은 얼굴의 신사가 사는 별을 알고 있어. 그는

혼동(混同) : 구별하지 못하고 뒤섞어서 생각함.

꽃향기라고는 맡아 본 적이 없어. 별을 바라본 적도 없고, 그 누구를 사랑해 본 적도 없지. 그는 평생을 통틀어 오로지 숫자를 더하는 일 말고는 아무것도 한 적이 없어. 그러면서 그 사람은 아저씨하고 똑같은 말을 온종일 되뇌지. '나는 중요한 일로 너무 바빠, 정말 정말 중요한 일로 무척 바빠.' 하고 말이야. 자기 딴에는 자랑스러울지 몰라도, 그는 사람이 아니야. 버섯이라고!"

어린 왕자는
두고 온 장미꽃이
걱정스러웠던 거야.

"뭐라고?"

"버섯!"

어린 왕자는 이제 분노로 얼굴이 하얗게 질렸다.

"꽃들은 수백만 년 동안이나 가시를 키워 왔어. 양들도 수백만 년 동안 꽃들을 먹어 왔고. 그런데도 꽃들이 아무 짝에도 쓸모없는 가시를 만들려고 왜 그렇게 애를 쓰는지 알아보려는 게 하나도 중요한 문제가 아니라는 거야? 붉은 얼굴의 뚱뚱보 신사가 하는 계산보다 덜 중요한 문제라고? 내 별에는 오직 그곳에서만 자라는, 이 세상에 단 하나뿐인 꽃이 있어. 그런데 어느 날 아침, 어린 양이 그 꽃을 그만 똑 따먹어 버릴 수도 있다고. 자기가 무슨 짓을 저지르는지도 모른 채 말이야. 세상에! 그런데도 아저씨 생각에는 이 모든 게 하나도 중요하지 않다는 말이지?"

말을 계속하는 동안 그의 얼굴은 다시 시뻘게졌다.

"수백만 수천만 개의 별 중에 피어 있는 단 한 송이의 꽃을 사랑하는 사람은 그저 별들을 바라보는 것만으로도 얼마든지 행복할 수 있어. 그는 속으로 생각하겠지. '저기 어딘가에 내 꽃이 있어.' 한데 양이 그 꽃을 먹어 버린다면 그에게는 모든 별이 한순간에 빛을 잃고 사라져 버리는 것과 다름없는 일이야. 그런데도 그게 중요하지 않단 말이지!"

그는 더 이상 말을 잇지 못했다. 북받치는 흐느낌이 그의 말을 가로막아 버린 것이다.

날은 이미 어두워졌다. 나는 손에서 연장을 놓아 버렸다. 망치나 볼트 또는 목마름이나 죽음 따위가 무에 그리 대단하단 말인가.

어느 한 별에, 나의 별인 지구에 위안慰安 받아야 할 어린 왕자가 있었다. 나는 두 팔을 벌려 그를 품에 안고 달래며 말했다.

"네가 사랑하는 그 꽃은 위험에 처해 있지 않아. 양이 꽃을 먹지 못하도록 내가 입마개를 그려 줄게. 꽃을 에워쌀 수 있는 울타리도 그려 줄게. 그리고 또……."

도무지 뭐라고 해야 좋을지 알 수 없었다. 공연히 쑥스럽고 어색하기만 했다. 어떻게 어린 왕자의 마음을 움직여 다시금 예전처럼 다정한 사이로 돌아갈 수 있을지 알 수 없었다.

눈물의 나라는 그처럼 신비한 곳이다.

위안(慰安) : 위로하여 마음을 편안하게 함.

8

나는 이내 그 꽃에 대해 좀 더 많이 알게 되었다. 어린 왕자의 별에는 늘 소박한 꽃들이 살고 있었다. 그 꽃들은 꽃잎이 하나뿐인 홑꽃이었고, 거의 자리를 차지하지도 않았으며, 누구를 성가시게 하는 법도 없었다. 아침이면 풀 사이에서 나타났다가 밤이면 고요히 스러져 갔다.

그러던 어느 날, 어딘지 모를 곳으로부터 씨앗이 하나 날아와 새로운 싹을 틔웠다. 어린 왕자는 그 별의 다른 어느 새싹과도 닮지 않은 이 싹을 유심히 관찰했다. 어쩌면 새로운 종류의 바오바브나무인지도 몰랐기 때문이다. 머잖아 조그마한 나무로 자라난 싹은 더 이상 자라기를 멈추더니 꽃을 피울 준비를 하기 시작했다.

어린 왕자는 처음으로 맺힌 탐스러운 꽃봉오리를 보며 무언가 신비롭고 불가사의不可思議한 일이 일어날 것만 같이 느껴졌다. 그러나 그 꽃은 연녹색 방에 꼭꼭 숨어 좀처

불가사의(不可思議) : 사람의 생각으로는 미루어 헤아릴 수 없이 이상하고 야릇함.

럼 자기의 아름다움을 드러내려 하지 않았다.

꽃은 자기의 빛깔을 고르는 데 세심하게 온갖 정성을 다 기울이고 있었다. 그리고 꽃잎 하나하나까지도 공들여 다듬고 있었다. 그 꽃은 개양귀비처럼 쭈글쭈글 구겨진 모습으로 세상에 모습을 드러내고 싶지 않았다.

자신의 아름다움이 한껏 빛을 내뿜을 때 비로소 모습을 드러내고 싶었던 것이다. 오! 참으로 애교愛嬌가 넘치는 식물이었다. 꽃의 신비스러운 치장은 며칠이고 계속됐다.

마침내 어느 날 아침 해가 떠오르는 바로 그 순간 꽃은 홀연히 자태姿態를 드러냈다.

그런데 그토록 공들여 꼼꼼하게 치장을 해 왔음에도 꽃은 하품을 하며 이렇게 말했다.

"아, 이제야 겨우 잠에서 깼답니다. 어머,

쿡쿡, 개양귀비가
이 말을 듣는다면
엄청 섭섭하겠는걸.

애교(愛嬌) : 남에게 호감을 주는 상냥스러운 말씨나 행동.
자태(姿態) : 어떤 모습이나 모양.

정말 죄송해요. 제 꽃잎이 아직도 너무 엉망이에요."

어린 왕자는 터져 나오는 감탄을 억누를 수 없었다.

"오오, 참으로 아름답군요!"

"그렇죠? 게다가 난 해와 같은 시간에 태어났답니다."

꽃은 달콤한 목소리로 속삭이듯 대답했다.

어린 왕자는 그 꽃이 그다지 겸손하지는 않다는 점을 알아챘다. 하지만 그 얼마나 감동적이며 흥미로운 꽃인가! 꽃은 잠시 사이를 두었다가 말했다.

"아침 식사를 할 시간이 된 것 같군요. 혹시 제게도 약간이나마 친절을 베풀어 주실 수 있으신지요?"

어린 왕자는 당혹스러워 어쩔 줄 몰라 하며 허둥지둥 신선한 물이 담긴 물뿌리개를 가져와 꽃을 돌보아 주었다.

이렇게 그 꽃은 태어나자마자 진실이 드러나면 감당하지도 못할 허영심으로 어린 왕자를 괴롭혔다. 하루는 자기에게 돋은 네 개의 가시에 대해 이야기하다가 어린 왕자에게 이렇게 말하기도 했다.

"어디, 호랑이들에게 발톱을 세우고 몰려올 테면 와 보라고 해요!"

"이 별에는 호랑이가 없어요. 게다가 설사 호랑이가 있다 해도 호랑이는 풀을 먹지 않아요."

어린 왕자가 대꾸하자 꽃은 상냥한 목소리로 말했다.

"난 풀이 아니랍니다."

"아참, 미안해요."

꽃은 말을 계속했다.

"호랑이 따위는 하나도 무서울 게 없지만 바람은 정말 질색이랍니다. 저를 위해 바람막이를 세워 주실 수는 없을까요?"

'바람이 질색이라니, 식물로서는 정말 불행한 일이군. 이 꽃은 정말 까다롭고 복잡한 식물인 것 같아.'

어린 왕자는 속으로 생각했다.

"밤에는 제게 유리 덮개를 씌워 주세요. 당신이 사는 이곳은 몹시 추워요. 내가 살던 곳은……."

하지만 꽃은 거기서 말을 멈추었다. 꽃은 씨앗 상태로 온 것이었다. 다른 세상에 대해서 알 리가 없었다. 거짓말

아름답긴 하지만
패 까다로운
식물인걸.
콜록 콜록!
이 별은 무척
춥군요.

을 하려다가 들킨 게 부끄러워진 꽃은 어린 왕자에게 탓을 돌리기 위해 두세 번 기침을 했다.

"바람막이는 어떻게 된 거죠?"

"찾아보려 했는데 당신이 계속해서 말하는 바람에……."

그러자 꽃은 어린 왕자가 더욱 가책을 느끼도록 짐짓 더 심하게 기침을 했다.

그런 행동을 보자 따뜻한 마음씨에 다정다감多情多感한 어린 왕자조차 꽃을 의심하게 되었다. 어린 왕자는 꽃의 대수롭지 않은 말들조차 심각하게 받아들였고, 그것은 그를 몹시 우울하게 만들었다.

어느 날 어린 왕자는 내게 털어놓았다.

"그 꽃이 하는 말을 귀담아듣지 말았어야 했어. 꽃이 하는 말에는 아무도 귀 기울일 필요가 없어. 그저 바라보기나 하고, 그 향기나 맡아야 해. 내 별은 온통 꽃의 그윽한 향기로 가득했지. 그런데도 나는 그걸 즐길 줄 몰랐어.

다정다감(多情多感) : 정이 많고 감정이 풍부함.

발톱 이야기로 내 마음을 어지럽혔을 때도, 실은 그 꽃을 가엾고 측은하게 여겼어야 옳았던 거야."

어린 왕자는 고백을 계속했다.

"나는 사실 아무것도 이해할 줄 몰랐던 거야! 그 꽃의 말이 아니라 행동을 보고 판단해야 했는데. 그 꽃은 내게 향기를 뿜어 주었고, 내 마음을 환히 밝혀 주었어. 그 꽃으로부터 도망치지 말아야 했는데……. 사소한 심술이며 가련한 거짓말 뒤에는 애정이 숨어 있다는 걸 눈치 챘어야 했어. 꽃들은 정말 모순덩어리야! 하지만 난 너무 어려서 꽃을 사랑할 줄 몰랐던 거야."

9

어린 왕자는 철새들의 이동을 이용하여 자기 별에서 빠져나온 것 같다.

떠나는 날 아침, 그는 별을 깔끔하게 정돈해 놓았다. 불을 뿜는 화산들도 정성스레 쑤셔 청소했다. 그 별에는 불

내가 떠나고 난 뒤에
함부로 폭발하는 일은
없어야 할 텐데.

을 내뿜는 활화산活火山이 두 개 있었는데, 아침밥을 짓거나 음식을 데우기에 아주 편리했다.

불이 꺼진 화산도 하나 있었다. 그러나 어린 왕자의 말마따나 '어떻게 될지는 아무도 모르는 일'이었다. 그래서 어린 왕자는 그 휴화산休火山도 잘 청소해 놓았다.

화산은 청소만 잘해 놓으면 함부로 폭발하는 법 없이 꾸준하고 얌전히 타오른다. 화산의 분출은 벽난로의 불이나 마찬가지인 것이다.

물론 우리 지구에 있는 화산을 청소하기에는 우리가 너무나 작다. 그래서 우리는 화산 때문에 끊임없이 곤란을 겪는 것이다.

어린 왕자는 우울한 심정으로 바오바브나무의 마지막 싹들도 뽑아냈다. 영영 이 별에 돌아오고 싶지 않았다.

하지만 그날 아침에는 익숙하기 만한 모든 일이 유난히

활화산(活火山) : 지금도 화산 활동을 계속하고 있는 화산.
휴화산(休火山) : 한때 분화한 일이 있으나 지금은 활동하지 않는 화산.

소중하고 정답게 여겨졌다. 그래서 그 꽃에 마지막으로 물을 주고 둥근 유리 덮개를 씌워 주려는 순간 그는 울음을 터뜨릴 뻔했다.

"잘 있어."

그는 꽃에게 말했다.

하지만 꽃은 대답하지 않았다.

"잘 있어."

어린 왕자는 다시 한 번 말했다.

꽃은 기침을 했다. 감기 때문은 아니었다.

마침내 꽃이 입을 열었다.

"내가 정말 어리석었어. 용서해 줘. 그리고 부디 행복하기를……."

꽃이 하는 말에는 원망怨望이나 비꼬는 기색이 전혀 없었다. 어린 왕자에게는 오히려 그것이 너무나 뜻밖의 일이었다. 그는 유리 덮개를 손에 든 채 그 자리에 멍하니

원망(怨望) : 못마땅하게 여기어 탓하거나 불평을 품고 미워함.

멈춰 섰다. 그는 꽃이 왜 이렇게 사근사근해졌는지 이해할 수 없었다.

"그래, 난 너를 사랑해."

꽃이 어린 왕자에게 말했다.

"넌 그걸 전혀 눈치 채지 못했지? 하지만 그건 다 내 잘못이야. 뭐, 그런 건 아무래도 좋아. 하지만 너도…… 너도 나만큼이나 바보 같았어. 부디 행복해. 유리 덮개는 내버려 둬. 이제 더 이상 필요 없어."

"하지만 바람이 불면……."

"감기가 그렇게 심한 것도 아냐. 선선한 밤바람이 좋을 수도 있어. 나는 꽃이니까."

"하지만 벌레들이……."

"나비와 알고 지내려면 벌레 두세 마리쯤은 견뎌야지, 뭐. 나비는 매우 아름답잖아. 나비나 애벌레가 아니라면 누가 나를 찾아 주겠어? 너는 머나먼 곳에 있을 테고…….

큰 짐승들이라면 무서울 것도 없어. 나한테도 발톱이 있으니까."

꽃은 천진난만하게 네 개의 가시를 내보인 뒤 말을 이었다.

"그렇게 우물쭈물 서 있지 마. 떠나기로 마음을 먹었으면 당장 떠나!"

꽃은 눈물을 흘리는 모습을 어린 왕자에게 보이고 싶지 않았다. 그만큼 자존심 강한 꽃이었다.

10

그는 소행성 325호, 326호, 327호, 328호, 329호, 330호와 이웃해 있었다. 그리하여 일거리도 구하고 견문見聞도 넓힐 겸 우선 그 별들부터 찾아가 보기로 했다.

첫 번째 별에는 왕이 살고 있었다. 자줏빛 천과 흰 담비

견문(見聞) : 보고 듣거나 하여 깨달아 얻은 지식.

가죽으로 만든 옷을 입은 왕은 간결하지만 위엄 있는 옥좌에 앉아 있었다.

"오, 신하가 한 명 왔도다!"

어린 왕자가 오는 것을 본 왕이 외쳤다. 어린 왕자는 궁금했다.

'나를 한 번도 본 적이 없을 텐데 어떻게 나를 알아보는 것일까?'

왕들에게는 세상이 아주 간단하다는 것을 어린 왕자는 몰랐다. 왕들에게는 모든 사람이 다 신하인 것이다.

"짐이 그대를 자세히 볼 수 있도록 가까이 오라."

비로소 누군가의 왕 노릇을 하게 된 것이 무척이나 자랑스러운 듯 왕이 말했다.

어린 왕자는 앉을 만한 자리를 찾으려고 사방을 둘러보았다. 그 별은 온통 호화롭기 그지없는 왕의 망토로 뒤덮여 있었다. 그는 서 있을 수밖에 없었다. 이내 피곤이 몰려와 하품을 했다. 그러자 왕이 말했다.

"왕 앞에서 하품을 하는 것은 예절에 어긋나는 일이니

내가 바로 신하가
한 명도 없는 왕이로다.

라. 짐은 하품을 금하노라."

"하지만 하품을 참을 수가 없는걸요."

어린 왕자가 당황하여 말했다.

"여기까지 먼 길을 오는 동안 통 잠을 자지 못했어요."

"오, 그렇다면 짐은 네게 하품을 하도록 명하노라. 짐은 벌써 몇 해 동안이나 하품하는 사람을 보지 못했느니라. 하품은 짐에게 훌륭한 구경거리로다. 자, 다시 하품을 하라. 어명이니라."

신하도 없고 다스릴
백성도 없으면서
명령만 내릴 줄 아는
왕이로군.

왕이 말했다.

"그렇게 말씀하시니 왠지 주눅이 들어서 더 이상은 하품이 나오지 않는군요."

어린 왕자는 우물쭈물 겸연쩍게 대답했다.

"어험, 그렇다면 짐이 명하노니 어떤 때는 하품을 하고 또 어떤 때는 하품을……."

왕은 말을 끝맺지 못하고 입속으로 뭐라고 중얼거렸다. 속이 타는 모양이었다.

왕에게는 자기의 권위를 존중 받는 것이 무엇보다 중요했다. 불복종은 용납할 수 없었다. 그는 절대 권력을 지닌 왕이었다. 하지만 마음씨가 매우 고왔으므로 사리事理에 맞는 명령을 내리려 애썼다.

왕은 평소 이렇게 말했다.

"만약에 짐이 어떤 장군에게 물새로 변하라고 명령했는데, 그 장군이 내 명령을 따르지 않았다면 그건 장군의 잘못이 아니로다. 그건 짐의 잘못이니라."

"좀 앉아도 될까요?"

어린 왕자가 조심스레 물었다.

"그리하도록 명하노라."

왕은 흰 담비 가죽으로 된 망토 자락을 위엄 있게 걷어 올려 자리를 내주며 말했다.

어린 왕자는 아무리 생각해도 의아하기만 했다. 별은 조그마하기 짝이 없었다. 왕은 대체 뭘 다스린담?

사리(事理) : 일의 도리에 맞는 근본 뜻.

"폐하, 황공하오나 여쭈어 보고 싶은 것이 한 가지 있사옵니다."

"네게 명하노니 질문을 하도록 하라."

왕은 기다렸다는 듯 대답했다.

"폐하께서는 무엇을 다스리고 계신지요?"

"모든 것을 다스리노라."

왕은 더없이 간단하게 대답했다.

"모든 것이라뇨?"

왕은 말없이 손을 치켜들어 그의 행성과 다른 행성들, 그리고 보이는 모든 별을 가리켰다.

"그 모든 걸 다요?"

어린 왕자가 물었다.

"그 모든 걸 다스리노라."

왕이 대답했다.

그는 절대 군주일 뿐만 아니라 온 우주의 군주이기도 했던 것이다.

"그럼 별들도 폐하께 복종하겠군요?"

"당연한 일이니라."

왕이 말했다.

"즉각 복종하고말고. 짐은 불복종을 절대 허락하지 않느니라."

그러한 권력은 어린 왕자에게는 놀라운 것이었다. 그에게도 그런 권력이 있었다면 의자를 옮길 필요도 없이 해지는 광경을 하루에 마흔세 번이 아니라 일흔두 번, 아니 백 번, 이백 번이라도 볼 수 있을 것이 아닌가! 그런 생각을 하자 두고 온 별이 떠올라 울적해진 어린 왕자는 용기를 내어 왕에게 한 가지 청을 드려 보았다.

"해가 지는 광경을 보고 싶사옵니다. 부디 아량을 베푸시어 해에게 지라고 명령해 주십시오, 폐하."

"짐이 어떤 장군에게 나비처럼 이 꽃에서 저 꽃으로 날아다니기를 명하거나, 비극 작품을 하나 쓰라고 명령하거나, 물새가 되라고 했는데 그 장군이 짐의 명령을 수행하지 않는다면 과연 누구의 잘못일꼬?"

왕이 물었다.

"장군이겠느냐, 짐이겠느냐?"

"폐하의 잘못입니다."

어린 왕자가 자신 있게 말했다.

"옳도다! 누구에게든지 그가 할 수 있는 것을 명령해야 하는 법, 사리에 어긋나는 권위는 인정받지 못하느니라. 백성들에게 모두 바다로 뛰어들라고 명령한다면 그들은 반란을 일으킬 것이니라. 짐에게 복종을 요구할 권한이 있는 것은 짐의 명령이 모두 이치에 들어맞는 까닭이니라."

"그럼 해가 지도록 해 달라고 한 제 청은요?"

한번 물어보면 절대로 그냥 넘어가지 않는 어린 왕자가 왕에게 다시 물었다.

"네 청은 짐의 통솔 아래 이루어질 것이니라. 다만 짐의 통치 기법에 따라 여러 조건이 두루 갖추어지기를 기다려야 하노라."

"그게 언제죠?"

어린 왕자가 물었다.

"어험, 어험!"

왕은 어마어마하게 크고 두꺼운 책력冊曆을 꺼내어 들여다본 뒤 대답했다.

"어험, 어험! 그러니까 그건…… 그러니까…… 오늘 저녁 일곱 시 사십 분경이 될 것이니라. 그때가 되면 너는 짐의 명령이 얼마나 잘 이루어지는지 보게 될 것이니라."

어린 왕자는 하품을 했다. 해지는 광경을 놓치게 된 것이 아쉬웠다.

이내 심심해진 어린 왕자는 왕에게 말했다.

"저는 이제 여기서 할 일이 없군요. 다시 제 갈 길로 떠나야겠습니다."

"가지 마라!"

책력(冊曆) : 일 년 동안의 월일, 해와 달의 운행, 월식과 일식, 절기, 특별한 기상 변동 따위를 날의 순서에 따라 적은 책.

모처럼 신하를 한 명 거느리게 된 것이 몹시 자랑스러웠던 왕이 말했다.

"가지 마라, 내 너를 대신으로 삼으리라."

"무슨 대신이요?"

"음, 그러니까, 사법 대신이니라."

"하지만 재판할 사람이 아무도 없잖아요."

"그야 어찌 될지 모를 일이니라."

왕이 말했다.

"짐은 아직 짐의 왕국을 순시巡視해 본 적이 없노라. 짐은 매우 늙었도다. 또 여기는 마차를 둘 자리도 마땅치 않고 걷기는 너무 피곤하도다."

"아, 하지만 제가 이미 다 보았는걸요."

어린 왕자는 몸을 돌려 별 저쪽에 다시 한 번 눈길을 주며 말했다.

"아무도 없는걸요."

순시(巡視) : 돌아다니며 살펴봄.

"그렇다면 너 스스로를 심판하도록 하라."

왕이 대답했다.

"그야말로 가장 어려운 일이니라. 다른 사람을 심판하기보다는 자기 자신을 심판하는 것이 훨씬 더 어렵도다. 스스로를 올바로 심판할 수 있는 사람이야말로 진정 슬기로운 자이니라."

"옳은 말씀이십니다. 하지만 저는 어디서든 저를 심판할 수 있습니다. 반드시 이곳이어야 할 까닭은 없습니다."

지혜로운 사람만이
자신을 올바로
심판할 수 있단다.

"어험! 어험! 짐의 별 어딘가에 늙은 쥐 한 마리가 살고 있는 것 같도다. 밤이면 그 소리가 들리니라. 그 늙은 쥐를 심판하도록 하라. 이따금씩은 그 쥐를 사형에 처하도록 하라. 그리하면 그의 생명이 너의 심판에 달릴 것 아니겠느냐. 그때마다 그에게 특사特赦를 베풀어 살려 두도

특사(特赦) : 특별히 죄를 용서하여 형벌을 면제함.

록 하라. 단 한 마리뿐인 쥐가 아니더냐."

"저는 누구에게 사형 선고를 내리고 싶지는 않습니다. 이제 그만 가 봐야겠습니다."

어린 왕자는 대답했다.

"아니 되느니라!"

왕이 말했다.

어린 왕자는 이미 떠날 채비를 다 마친 뒤였지만 늙은 왕을 서운하게 하고 싶지는 않았다.

"폐하의 명령이 어김없이 이행되기를 원하신다면 제게 이치에 맞는 명령을 내려 주시는 게 좋겠습니다. 이를테면 제게 일 분 이내에 떠나라고 명령하실 수도 있지 않을까요? 지금이 아주 적당한 때인 것 같습니다만……."

왕이 아무 대답을 하지 않자 잠깐 망설이던 어린 왕자는 한숨을 길게 내쉬고는 길을 떠났다.

그러자 왕이 황급히 소리쳤다.

"너를 짐의 대사로 임명하노라!"

왕은 위엄이 넘쳐흐르는 표정을 짓고 있었다.

'어른들은 정말 이상해.'

어린 왕자는 길을 떠나며 속으로 중얼거렸다.

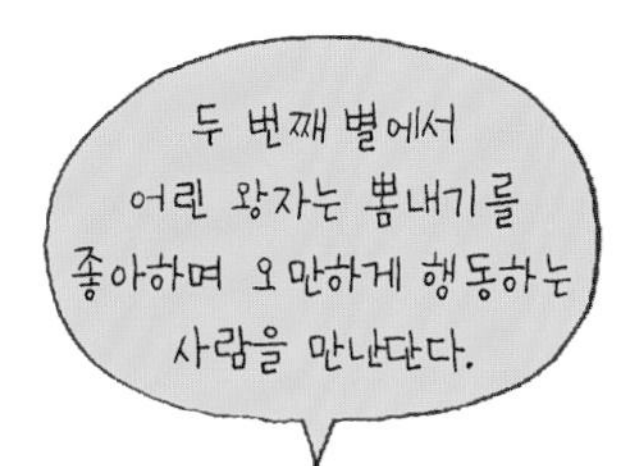

두 번째 별에서
어린 왕자는 뽐내기를
좋아하며 오만하게 행동하는
사람을 만난단다.

11

두 번째 별에는 자만심에 가득 찬 사람이 살고 있었다.

"오오, 나의 팬이 방문하는군!"

멀리서부터 다가오는 어린 왕자를 보자마자 그는 큰 소리로 외쳤다.

자만심에 빠진 사람의 눈에는 모든 사람이 자기를 우러르는 것으로 보이는 법이다.

"안녕하세요? 그런데 참 이상한 모자를 쓰고 계시네요."

어린 왕자가 말했다.

"이건 인사할 때 쓰는 모자란다. 사람들이 내게 갈채喝采

갈채(喝采) : 외침이나 박수 따위로 찬양이나 환영의 뜻을 나타냄.

지구 별에도 자만심에
빠진 사람들이 많다는
것을 난 알고 있지.

를 보내면 이 모자를 살짝 들어 올려 답례를 해 주는 거지. 하지만 아쉽게도 이리 지나가는 사람이 아무도 없구나."

"네?"

자만심에 빠진 사람이 무슨 말을 하는지 제대로 알아듣지 못한 어린 왕자가 되물었다.

"두 손을 들어 박수를 한 번 쳐 보렴."

자만심에 빠진 사람이 어린 왕자에게 말했다.

어린 왕자가 박수를 치자 자만심에 빠진 사람은 점잔을 빼며 모자를 들어 올려 인사했다.

'이건 왕을 방문했을 때보다도 재미있는걸.'

어린 왕자는 속으로 생각했다. 그러고는 다시 한 번 손뼉을 쳤다. 자만심에 빠진 사람은 다시금 모자를 들어 올리며 인사했다.

그렇게 몇 분 정도 지났다. 어린 왕자는 그 단조로운 놀이에 싫증이 났다.

"그 모자를 땅에 떨어뜨리려면 어떻게 해야 하죠?"

어린 왕자가 물었다.

그러나 자만심에 빠진 사람의 귀에는 어린 왕자의 말이 들리지 않았다. 자만심에 빠진 사람의 귀에는 오직 다른 사람들이 자기를 칭찬하는 말만 들릴 뿐이었다.

"넌 정말 내가 그토록 감탄스럽니?"

그가 어린 왕자에게 물었다.

"감탄스럽다는 게 뭐죠?"

"감탄스럽다는 건 내가 이 별에서 제일 잘생겼고, 옷도 제일 잘 입고, 가장 부자인 데다가 가장 똑똑한 사람이라는 걸 네가 인정한다는 뜻이지."

"어차피 이 별에는 아저씨 말고는 아무도 없잖아요."

"그러지 말고 부탁 좀 할게. 내게 감탄하며 내 팬이 되어 주렴."

"난 아저씨가 감탄스러워요."

어린 왕자는 어깨를 가볍게 으쓱하며 말했다.

"하지만 그게 뭐가 그렇게 좋다는 거죠?"

고개를 갸우뚱하며 어린 왕자는 그 별을 떠났다.

'아무리 봐도 어른들이란 정말 이상해!'

어린 왕자는 여행을 계속하며 속으로 생각했다.

12

그 다음 별에는 술꾼이 살았다. 이 별에는 아주 잠깐 들렀을 뿐이지만 어린 왕자의 마음은 몹시 우울해졌다.

"뭘 하고 계세요?"

빈 술병과 술이 가득 찬 병을 늘어놓은 채 우두커니 앉아 있는 주정뱅이를 보고 어린 왕자가 물었다.

"술 마시지."

침울沈鬱한 얼굴로 술꾼이 대답했다.

"왜 술을 마시는데요?"

어린 왕자가 물었다.

"잊으려고."

술꾼이 대답했다.

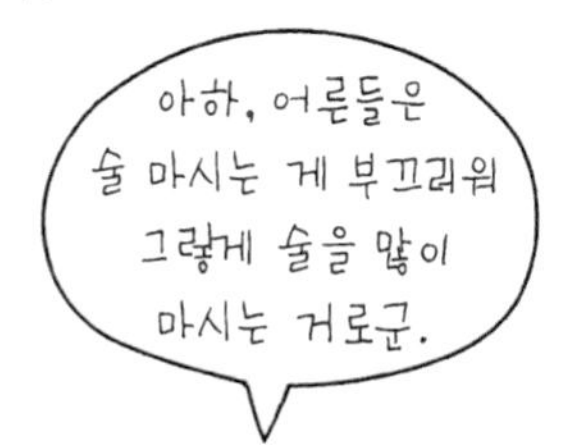

침울(沈鬱) : 근심 걱정으로 밝지 못하고 우울함.

"뭘 잊어요?"

딱한 생각이 든 어린 왕자가 다시 물었다.

"창피한 걸 잊어버리려고."

술꾼이 고개를 푹 숙이며 털어놓았다.

"뭐가 창피한데요?"

그를 돕고 싶어진 어린 왕자가 물었다.

"술 마시는 게 창피해!"

말을 끝낸 술꾼은 입을 다물고 침묵에 잠겼다.

어린 왕자는 당혹스러운 심정으로 그 별을 떠났다.

'아무리 봐도 어른들은 너무너무 이상해!'

어린 왕자는 여행을 계속하며 속으로 생각했다.

13

네 번째 별은 사업가의 별이었다. 그 사람은 얼마나 바쁜지 어린 왕자가 왔는데도 고개조차 쳐들지 않았다.

"안녕하세요?"

아무런 희망 없이
살면 나처럼 돼.
꿈을 가지라고!

어린 왕자가 그에게 말했다.

"담뱃불이 꺼졌군요."

"셋에 둘을 더하면 다섯, 다섯에 일곱을 더하면 열둘, 열둘에 셋이면 열다섯. 안녕! 열다섯에 일곱을 더하면 스물둘, 스물둘에 여섯이면 스물여덟. 이거야 담뱃불을 다시 붙일 시간도 없구나. 스물여덟에 다섯이면 서른셋. 후유! 그러니까 그게 오억일백육십이만이천칠백삼십일이 되는군."

어린 왕자는 순수한
마음을 갖고 있지 않으면
알아들을 수 없는
질문만 한다고.

"뭐가 오억이에요?"

"응? 너 아직도 거기 있었니? 오억일백…… 가만있어 보자. 내가 지금 얼마나 바쁜지 아니? 이건 아주 중요한 문제라 집중集中해야 한단 말이야. 허튼소리나 하며 놀고 있는 게 아니라고! 둘에 다섯이면 일곱……."

집중(集中) : 한 가지 일에 모든 힘을 쏟아 부음.

"오억일백이 뭔데요?"

한번 묻기 시작하면 절대 중간에 그만두는 법이 없는 어린 왕자가 다시 물었다.

사업가가 고개를 들었다.

"내가 이 별에서 산 지 오십사 년이나 됐지만 남에게 방해를 받은 건 딱 세 번뿐이야. 첫 번째는 이십이 년 전이었는데, 어디선가 풍뎅이 한 마리가 날아들어 정신없이 왱왱거리는 바람에 덧셈을 하다가 네 군데나 틀려 버렸지 뭐냐. 두 번째는 십일 년 전이었는데, 이놈의 신경통 때문이었지. 나는 운동 부족이거든. 운동 따위로 빈둥거릴 시간이 없단다. 그리고 세 번째가 바로 지금이야! 가만있자, 어디까지 했더라? 오억일백……."

"그러니까 오억일백이 뭔데요?"

사업가는 그제야 어린 왕자의 질문에 답하지 않고서는 배겨 낼 재간이 없다는 걸 깨달았다.

"이따금씩 하늘에 보이는 저 조그만 것들의 개수가 그렇단 말이다."

아무도 날
방해하지
말아 줘.

"파리 말인가요?"

"아니, 반짝반짝하는 것들 말이야."

"벌이요?"

"아니, 그게 아니라 게으름뱅이들을 공상空想에 빠지게 만드는 금빛 쪼가리들 말이야. 나야 워낙 중요한 일에 몰두하다 보니 평생 공상 따위에 빠져 든 적이 단 한 번도 없지만 말이다."

"아, 별 말씀이로군요?"

"그래, 그거. 별!"

"그래서 오억 개의 별로 뭘 하시는데요?"

"오억 개가 아니라 오억일백육십이만이천칠백삼십일 개란다. 나는 워낙에 중요한 일을 하는 사람이라 아주 정확하지."

"하여간 그 별들을 가지고 뭘 하시는데요?"

"내가 그걸로 뭘 하냐고?"

공상(空想) : 현실적이지 못하거나 실현될 가망이 없는 것을 막연히 그리어 봄.

"네!"

"하긴 뭘 해. 그냥 소유하는 거지."

"그 별들이 아저씨 거라고요?"

"그래."

"하지만 왕을 만난 적이 있는데……."

"왕은 소유하지 않아, 다스릴 뿐이지. 그건 전혀 다른 문제라고."

"그럼, 별을 소유하면 뭐가 좋은 거죠?"

"그건 나를 부자로 만들어 주지."

"부자가 되면 뭐가 좋은데요?"

"누군가 새로운 별을 발견하면 그걸 또 사들일 수 있지."

'이 사람도 그 딱한 술꾼과 비슷한 소릴 하는구나.'

어린 왕자는 속으로 생각했다. 그럼에도 어린 왕자는 질문을 계속했다.

"어떻게 하면 별들을 소유할 수 있나요?"

"도대체 누가 소유한다는 거냐?"

사업가가 눈을 부라리며 물었다.

"모르죠. 누구의 것도 아닌 것 같은데……."

"그러니까 내 것이라는 거야. 그걸 맨 처음 생각해 낸 사람이 바로 나니까."

"생각만 하면 다예요?"

"그렇고말고. 네가 임자 없는 다이아몬드를 발견하면 그건 네 거란다. 임자 없는 섬을 발견해도 네 것이 되지. 네가 누구보다도 먼저 어떤 아이디어를 생각해 냈다면 곧바로 특허를 받아야 해. 그럼 그건 네 것이 되지. 마찬가지로 어느 누구도 나보다 앞서 별을 소유할 생각을 한 적이 없으니까 별들은 다 내 것이란다."

"그건 그렇다고 해요."

어린 왕자가 말했다.

"그래서 그 별들을 가지고 뭘 하시는데요?"

"그걸 관리하지."

사업가가 대답했다.

"세고 또 세는 거야. 그건 어려운 일이지만 나는 중요한 문제에 워낙 관심이 많거든."

그래도 어린 왕자는 이해할 수 없었다.

"만약 비단 목도리가 내 소유라면 나는 그걸 목에 두르고 다닐 거예요. 내 소유의 꽃이 있다면 그걸 꺾어서 가지고 다닐 거고요. 하지만 아저씨는 하늘의 별들을 딸 수도 없잖아요."

"그렇긴 하지만 대신에 나는 그걸 은행에 넣어 두지."

"그게 무슨 뜻이죠?"

"작은 종이에 내 별의 개수를 잘 적는 거야. 그러고는 그 종이를 서랍 속에 넣고 자물쇠로 꼭꼭 잠가 둔다는 얘기지."

"그게 다예요?"

"그만하면 충분하지!"

사업가는 자신 있게 대답했다.

'그것 참 재미있는걸. 꽤나 시적이야. 하지만 그다지 중요한 일은 아니군.'

어린 왕자는 생각했다.

어린 왕자는 '중요한 일'에 대해 어른들과는 매우 다른 생각을 지니고 있었다.

"제겐 꽃이 하나 있거든요."

어린 왕자는 사업가와 대화를 계속했다.

"저는 그 꽃에 매일 물을 줘요. 제 소유의 화산도 세 개가 있는데, 매주 청소해 줘요. 한 개는 휴화산이지만 어떻게 될지 모르니까 그것도 청소해 주죠. 이런 일들은 꽃이나 화산에게 나름대로 쓸모 있는 일이에요. 하지만 아저씨 일은 별들에게 별로 쓸모가 없을 것 같은데……."

사업가는 입을 열었지만 대답할 말이 떠오르지 않았다.

'정말이지, 어른들은 하나같이 이상하기 짝이 없어!'

어린 왕자는 중얼거리며 그 별을 떠나 여행을 계속했다.

14

다섯 번째 별은 상당히 특이했다. 여태 가 본 별들 가운데 가장 작았다. 그 별은 가로등 하나와 그 가로등을 켜는 사람 한 명이 서 있을 공간空間밖에 없었다.

사람들은 물론, 집도 한 채 없는 하늘 한 귀퉁이의 별에 대체 무엇 때문에 가로등과 가로등을 켜는 사람이 있는지 어린 왕자로서는 도무지 이해할 수가 없었다.

하지만 어린 왕자는 속으로 이렇게 생각했다.

'이 사람도 분명 엉뚱한 사람일 거야. 그래도 왕이나 자만심으로 가득 찬 사람 또는 사업가나 술꾼처럼 터무니없는 사람은 아니로군. 적어도 그가 하는 일은 나름대로 의미가 있어 보이니까. 그가 가로등을 켜는 것은 하나의 별이나 한 송이의 꽃을 태어나게 하는 것과 같아. 가로등을 끈다는 건 꽃이나 별을 잠재우는 거고. 참 아름다운 직업이야. 아울러 아름답다는 것만큼 이로운 건 흔치 않지.'

별에 다다른 어린 왕자는 가로등을 켜는 사람에게 공손히 인사를 했다.

"안녕하세요? 그런데 왜 방금 가로등을 끄셨죠?"

공간(空間): 어떤 물질이나 물체가 존재할 수 있거나 어떤 일이 일어날 수 있는 자리.

내 평생소원은
잠 한번 푹
자 보는 거야.

"그게 다 규칙規則이야. 좋은 아침!"

가로등 켜는 사람이 대답했다.

"규칙이 뭐죠?"

"내가 이 가로등을 끄는 게 규칙이지. 잘 자."

가로등 켜는 사람은 다시 가로등에 불을 붙였다.

"그런데 왜 금방 불을 다시 켜요?"

"그것도 규칙이야."

가로등 켜는 사람이 대답했다.

"무슨 소린지 모르겠어요."

어린 왕자가 말했다.

"알 것 없어."

가로등 켜는 사람이 말했다.

"규칙은 규칙이야, 좋은 아침."

그는 다시 가로등을 껐다.

그러고는 붉은 바둑판 무늬 손수건을 꺼내 이마의 땀을

규칙(規則) : 여러 사람이 다 같이 지키기로 작정한 법칙.

닦았다.

"이건 정말 말도 못하게 고달픈 직업이야. 예전에야 그런대로 할 만했지. 아침에 불을 끄고 나면 저녁때까지는 달리 할 일이 없으니까 푹 쉬었고, 저녁에 불을 켜고 나면 다음 날 아침까지 푹 잘 수 있었거든."

"그런데 지금은 규칙이 바뀌었나요?"

"규칙이 바뀌지 않으니까 문제지! 해가 갈수록 별은 점점 더 빨리 도는데, 규칙은 언제나 그대로란 말이야!"

어린 왕자는
성실하게 자신의 일을
해내는 가로등 켜는
사람을 좋아해.

"그게 어때서요?"

어린 왕자가 물었다.

"그게 어떻다니? 이 별은 지금 일 분에 한 바퀴씩 돌고, 덩달아 나는 이제 일 초도 쉴 틈이 없다고. 나는 일 분마다 가로등을 켰다가 꺼야 한단 말이야!"

"그거 정말 재미있군요. 아저씨가 사는 이 별에서는 하루가 일 분이네요."

"하나도 재미없어! 우리가 이야기하는 사이에 벌써 한 달이 흘렀다고."

"한 달이요?"

"그래, 한 달. 삼십 분이 지났으니 삼십 일이지. 잘 자."

그리고 그는 다시 가로등에 불을 켰다.

이 별에서는
매일 1440번이나
석양을 볼 수 있겠네.

어린 왕자는 그를 가만히 바라보았다. 더없이 규칙에 충실한 이 사람이 좋아졌다. 그러자 의자만 뒤로 조금 밀면 얼마든지 해 지는 광경을 볼 수 있던 지난날이 떠올랐다. 어린 왕자는 친구를 돕고 싶었다.

"저, 말이죠."

어린 왕자가 말했다.

"언제라도 쉬고 싶을 때 쉴 수 있는 방법이 한 가지 있는데……."

"정말이지, 온통 쉬고 싶은 생각뿐이야."

가로등을 켜는 사람이 말했다.

성실誠實하게 일하는 사람도 한편으로는 게으름을 피우고 싶은 생각이 얼마든지 들 수 있는 법이다.

어린 왕자는 설명을 이어 갔다.

"이 별은 하도 작아서 세 발짝이면 한 바퀴를 돌 수 있어요. 그러니까 그냥 천천히 걷기만 하면 언제든지 햇빛 아래 있을 수 있잖아요. 쉬고 싶을 때는 그저 천천히 걷기만 하면 얼마든지 원하는 만큼 해를 늘릴 수 있는 거죠."

"그건 별로 도움이 되지 않아. 내 평생소원은 잠을 좀 자 보는 거야."

"그렇다면 참 불행한 일이군요."

어린 왕자가 말했다.

"난 불행해."

가로등을 켜는 사람이 말했다.

"좋은 아침!"

그리고 다시 가로등을 껐다.

성실(誠實) : 정성스럽고 참됨.

어린 왕자는 다시금 여행을 계속하며 속으로 생각했다.

'왕이나 자만심에 빠진 사람, 술꾼이나 사업가와 같은 사람들은 저 사람을 업신여길지도 몰라. 하지만 내가 보기에는 그나마 유일하게 터무니없는 짓을 하지 않는 사람인 것 같아. 그건 아마도 자기 자신을 돌보지 않고 무언가 다른 일에 열중하기 때문일 거야.'

어린 왕자는 아쉬운 마음에 한숨을 내쉬며 생각을 계속했다.

"내가 만난 사람들 중에 그나마 친구로 삼을 만한 사람은 가로등을 켜는 사람뿐이었어. 하지만 그의 별은 너무 작아. 두 사람이 서 있기에도 비좁을 지경이니……."

하지만 어린 왕자가 그 별을 떠나게 된 것을 무엇보다 아쉬워하는 데에는 스스로에게도 차마 털어놓지 못한 까닭이 있었다. 그것은 바로 그 별이 하루에도 천사백사십 번이나 해가 지는 축복의 별이라는 것이었다.

15

여섯 번째 별은 지난번보다 열 배나 더 큰 별이었다. 그 별에는 엄청난 분량의 책을 쓰고 있는 늙은 신사가 살았다.

"오, 이것 보게! 탐험가가 오셨군!"

어린 왕자가 오는 것을 본 그는 혼잣말로 외쳤다.

책상 앞에 와 앉은 어린 왕자는 숨이 약간 가빴다. 그는 벌써 무척 먼 거리를 여행했던 것이다!

"어디서 오는 길이냐?"

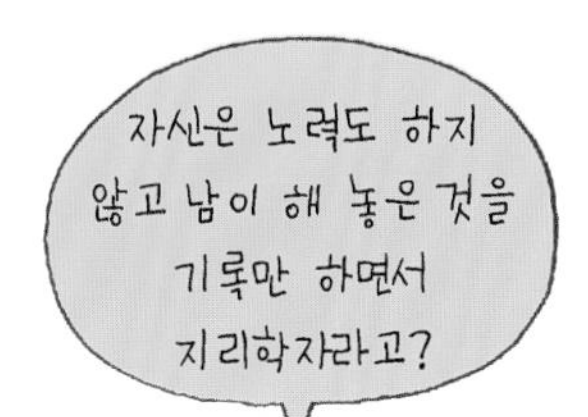
자신은 노력도 하지
않고 남이 해 놓은 것을
기록만 하면서
지리학자라고?

늙은 신사가 물었다.

"그 두꺼운 책은 뭐예요?"

어린 왕자가 물었다.

"뭘 하고 계시는 거죠?"

"나는 지리학자란다."

늙은 신사가 어린 왕자에게 말했다.

"지리학자가 뭔데요?"

"지리학자란 바다와 강과 마을과 산과 사막 등이 어디에 있는지 모두 알고 있는 사람이지."

"그것 참 흥미롭군요. 이제야 정말 제대로 된 일을 하시는 분을 만났군요!"

어린 왕자는 그렇게 말하고는 지리학자의 별을 새삼 둘러보았다.

그 별은 어린 왕자가 이제까지 본 것 중 가장 근사하고 품위 있는 별이었다.

"이 별은 정말로 아름답군요. 혹시 바다도 있나요?"

"모르겠구나."

"저런!"

어린 왕자는 실망스러웠지만 다시 물었다.

"그럼 산은요?"

"그것도 난 몰라."

"그럼 마을이나 강, 사막은요?"

"그런 건 모른다니까."

"하지만 지리학자라면서요?"

"그야 물론이지. 하지만 난 탐험가가 아니란다. 이 별에 탐험가는 한 명도 없어. 직접 돌아다니면서 마을이며

난 내가 사는
별도 탐험해 보지
않았어.

강, 산과 바다며 사막 따위를 조사하는 것은 지리학자가 하는 일이 아니야. 지리학자는 너무도 중요한 사람이라 그렇게 돌아다닐 틈이 없단다. 잠시도 책상머리를 떠나서는 안 되지. 대신 서재로 탐험가들을 불러들이는 거야. 탐험가들에게 이것저것 질문을 하고, 그들의 여행담을 기록記錄해 두는 거야. 그러다가 어느 탐험가의 이야기가 흥미롭다 싶으면, 그 탐험가가 과연 믿을 만한 사람인지 됨됨이를 조사하는 거지."

우리 땅을 그린 지리학자
김정호는 구석구석
안 밟아 본 데가 없다고!

"그건 왜요?"

"혹시라도 탐험가가 거짓말을 한다면 지리학자의 책도 덩달아 틀리게 될 테니까. 술을 너무 많이 마시는 탐험가도 곤란하지."

"그건 또 왜요?"

기록(記錄) : 후일에 남길 목적으로 어떤 사실을 적음.

"술에 취한 사람의 눈에는 모든 게 둘로 보이니까 그렇지. 그렇게 되면 지리학자는 실제로는 하나밖에 없는 산을 두 개라고 기록할 것 아니냐?"

"제가 아는 사람 중에도 그런 엉터리 탐험가가 될 만한 사람이 있어요."

"그럴 수도 있지. 그래서 탐험가가 일단 믿음직하고 착실해 보이면 그가 발견한 것에 대해 조사를 한단다."

"직접 가 보나요?"

"아니, 그건 너무 번거롭지. 대신 탐험가에게 증거를 내놓아 보라고 하는 거야. 가령 큰 산을 발견했다면, 가서 그 산의 큰 돌들을 가져와 보라고 하는 거지."

그러더니 지리학자가 갑자기 흥분하여 말했다.

"참! 넌…… 너는 멀리서 왔지? 너도 탐험가로구나! 어서 네가 살던 별에 대해서 이야기해 보렴."

그러고는 기록부를 펼치더니 연필을 깎기 시작했다. 탐험가의 이야기를 우선 연필로 적어 두었다가 나중에 그 탐험가가 증거를 가져오면 그때 비로소 잉크로 기록하는 것이었다.

"자, 시작해 보렴."

지리학자가 어린 왕자를 재촉했다.

"아, 네. 제가 살던 별은 그다지 흥미로운 곳은 아니에요. 뭐든지 아주 작죠."

어린 왕자가 말했다.

"화산이 세 개 있는데, 두 개는 활화산이에요. 나머지 하나는 휴화산이지만 어떻게 될지 모르죠."

"그래, 어떻게 될지 모르는 일이지."

"거기엔 꽃도 하나 있어요."

"우리는 꽃 같은 건 기록하지 않아."

지리학자가 말했다.

"왜요? 그 꽃이야말로 제가 살던 별에서 가장 아름다운 건데요."

"그런 것들은 모두 덧없기 때문이란다."

"덧없다는 게 뭐죠?"

"지리학 책이란 모든 책 가운데서도 가장 중요한 책이

란다. 따라서 그때그때 바뀌는 내용은 싣지 않아. 산이 자리를 옮기는 경우는 거의 없지. 바닷물이 말라 버리는 일도 흔하지 않고. 우리는 그처럼 변함없이 영원永遠한 것들만을 기록한단다."

"하지만 불 꺼진 휴화산도 되살아날 수 있잖아요."

어린 왕자가 지리학자의 말을 가로막으며 말했다.

"그런데 덧없다는 게 뭐예요?"

"화산이 꺼졌느냐 불타느냐 하는 건 지리학자에게 중요한 문제가 아니란다."

지리학자가 말했다.

"우리가 중요하게 여기는 것은 바로 산이지. 그건 때에 따라 변하는 게 아니야."

"그런데 '덧없다'는 게 무슨 뜻이에요?"

이 지리학자는
도전 정신도 없고
상상력도 없는
사람이야.

영원(永遠) : 어떤 상태가 끝없이 이어짐. 또는 시간을 초월하여 변하지 아니함.

한번 질문을 던지면 결코 그냥 넘어가지 않는 어린 왕자가 다시 물었다.

"아, 그건 '머지않아 사라져 버릴 위험이 있다'는 뜻이란다."

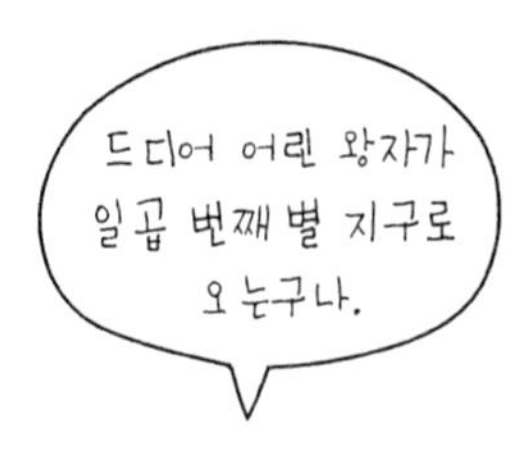

"그럼 제 꽃도 머지않아 사라져 버릴 위험이 있다는 건가요?"

"물론이지."

'내 꽃은 덧없는 것이구나!'

어린 왕자는 속으로 생각했다.

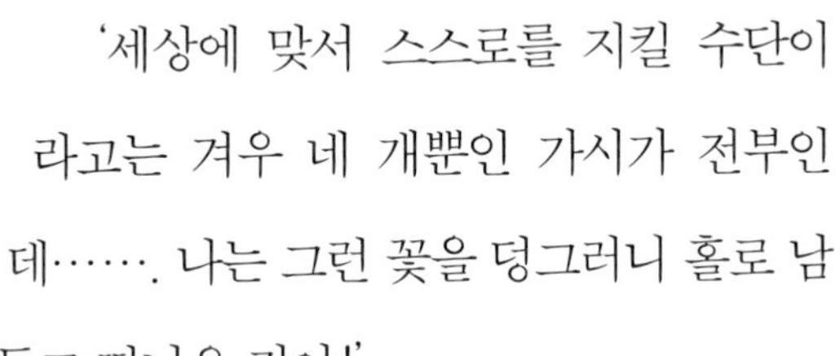

'세상에 맞서 스스로를 지킬 수단이라고는 겨우 네 개뿐인 가시가 전부인데……. 나는 그런 꽃을 덩그러니 홀로 남겨 두고 떠나온 거야!'

어린 왕자가 처음으로 후회하는 순간이었다. 하지만 그는 다시금 용기를 냈다.

"제가 이제 어느 별을 찾아가는 게 좋을까요?"

어린 왕자가 물었다.

"지구라는 별에 가 보려무나."

지리학자가 대답했다.

"평판이 좋더구나."

그리하여 어린 왕자는 다시 길을 떠났다. 별에 두고 온 꽃을 생각하며.

16

일곱 번째로 방문한 별은 지구였다.

지구는 결코 평범한 별이 아니었다. 거기에는 다양多樣한 피부색을 가진 백열한 명의 왕, 칠천 명의 지리학자, 구십만 명의 사업가, 칠백오십만 명의 술꾼, 삼억천백만 명의 자만심에 가득 찬 사람 등 모두 합해 이십억 명쯤 되는 어른들이 살고 있었다.

전기를 발견하기 전까지는 여섯 개의 대륙 전체를 통틀

다양(多樣) : 종류가 여러 가지로 많음.

어 가로등 켜는 사람만 무려 사십육만이천오백십일 명을 두어야 했다는 사실을 알면, 여러분은 지구의 크기가 얼마나 되는지 대충 짐작할 수 있을 것이다.

따라서 좀 멀리 떨어진 곳에서 지구를 바라보면 눈부신 장관이 펼쳐졌다. 가로등 켜는 사람들의 거대한 무리가 움직이는 모습은 마치 오페라의 발레만큼이나 질서 정연했다.

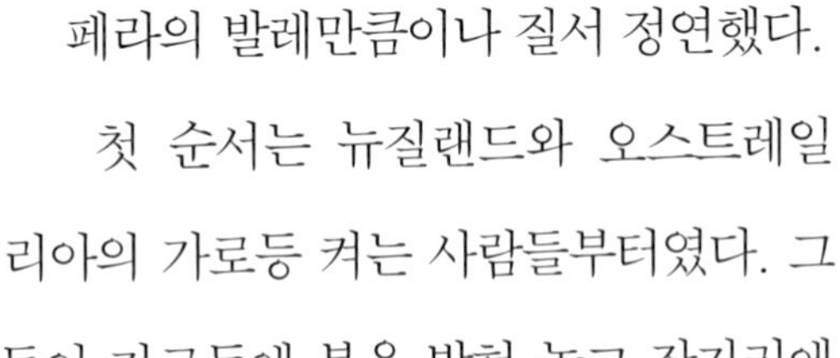

다섯 번째 별에서
만난 가로등 켜는 사람이
남극에서 살면 가로등을 1년에
두 번만 켜면 되는데.

첫 순서는 뉴질랜드와 오스트레일리아의 가로등 켜는 사람들부터였다. 그들이 가로등에 불을 밝혀 놓고 잠자리에 들면 그 다음은 중국과 시베리아의 가로등 켜는 사람들이 춤 동작을 시작할 차례였다.

그들 또한 물결치듯 무대 뒤로 사라지고 나면 러시아와 인도의 가로등 켜는 사람들 차례가 돌아왔다. 그 다음은 아프리카와 유럽, 다음은 남아메리카 그리고 북아메리카. 그들이 무대에 등장하는 순서는 결코 틀리는

법이 없었다. 그야말로 장관이었다.

오직 북극에 하나뿐인 가로등을 책임진 사람과 역시 남극南極에 하나밖에 없는 가로등을 맡고 있는 그의 동료만이 마음 편히 한가롭게 살고 있었다. 그들은 일 년에 두 번만 일을 하면 되었다.

17

재치를 부리려다 보면 진실에서 벗어나는 수가 있다. 가로등 켜는 사람들에 대한 이야기 역시 정직하기만 한 것은 아니었다. 지구에 대해 잘 알지 못하는 누군가가 들었다면 지구에 대해 자칫 잘못된 생각을 가지게 될까 걱정스럽다.

사람들은 지구 위에 아주 작은 공간을 차지할 뿐이다. 만약 이십억 명의 사람들이 무슨 모임이라도 열듯 한자리

남극(南極) : 지구의 자전축을 연장할 때 천구와 마주치는 남쪽 점.

에 빽빽이 모여 선다면 아마 가로세로의 길이가 삼십 킬로미터 정도의 광장에 모두 들어가고도 남을 것이다. 전 인류를 태평양太平洋의 작은 섬에 무더기로 쌓아 올릴 수도 있을 것이다.

어른들은
정말 이상하지.
모든 것을 숫자로만
이해하려고 해!

어른들은 보나마나 이런 말들을 믿지 않을 것이다. 그들은 자신들이 무척이나 넓은 공간을 차지하고 있다고 여긴다. 그들은 자신들이 바오바브나무만큼이나 중요하다는 환상幻想에 사로잡혀 있다.

그러므로 어른들에게는 스스로를 차분히 헤아려 보도록 충고해 줄 필요가 있다. 어른들은 워낙 숫자를 좋아하니까 그런 계산 역시 좋아할 것이다.

그러나 여러분의 시간을 그런 특별 작업에 낭비할 필요

태평양(太平洋) : 오대양의 하나로 유라시아, 남북아메리카, 오스트레일리아 따위의 대륙에 둘러싸인 바다. 세계 바다 면적의 반을 차지함.

환상(幻想) : 현실로는 있을 수 없는 일을 있는 것처럼 상상하는 일.

는 없다. 그야말로 괜한 짓이다. 여러분은 이미 내 말을 믿고 있지 않은가.

지구에 도착한 어린 왕자는 아무도 눈에 띄지 않는다는 사실에 매우 놀랐다. 혹시 별을 잘못 찾아온 것이 아닐까 걱정하던 참에 금빛으로 돌돌 말린 채 모래 속에서 달처럼 빛나는 것을 발견했다.

"안녕?"

어린 왕자가 예의禮儀 바르게 인사했다.

"안녕?"

뱀이 말했다.

"내가 도착한 이곳이 무슨 별이지?"

어린 왕자가 물었다.

"지구야. 여기는 아프리카고."

뱀이 대답했다.

"아! 그런데 지구에는 사람이 살지 않니?"

예의(禮儀) : 사회생활과 사람과의 관계에서 공손하며 삼가는 말과 몸가짐.

"여기는 사막이야. 사막에는 사람들이 살지 않아. 지구는 크단다."

뱀이 말했다.

돌 위에 앉은 어린 왕자는 눈을 들어 하늘을 쳐다보았다.

"사람들이 언젠가는 저마다의 별을 다시 찾을 수 있도록 별들은 저렇게 반짝이는 게 아닐까."

어린 왕자가 말했다.

"내 별을 봐. 바로 우리 머리 위에 있어. 하지만 얼마나 먼 곳인지!"

"아름답구나!"

뱀이 말했다.

"그런데 여긴 왜 왔니?"

"어떤 꽃하고 말썽이 좀 있었어."

어린 왕자가 대답했다.

"아!"

뱀이 말했다.

그러고는 둘 다 아무 말이 없었다.

"사람들은 다 어디에 있어?"

마침내 어린 왕자가 다시 입을 열었다.

"사막은 좀 외로운걸……."

"사람들 사이에 있어도 외로운 건 마찬가지야."

뱀이 말했다.

어린 왕자는 뱀을 지그시 바라보았다.

"넌 참 별난 동물이구나."

이윽고 어린 왕자가 말했다.

"손가락보다 가느다랗고……."

"하지만 나는 왕의 손가락보다 더 세단다."

뱀이 말했다.

어린 왕자는 미소를 지었다.

"그렇게 세 보이진 않는데. 게다가 너는 발도 없잖아. 여행도 못하겠는걸."

"난 그 어떤 배보다 널 멀리 데려다 줄 수 있어."

뱀이 말했다

뱀이 어린 왕자를 멀리 데려다 줄 수 있다는 말은 무얼 뜻하는 거지?

수수께끼 같은
말만 하는걸.
언제든 네 별로
돌아가고 싶으면 말해.
내가 데려다 줄게.

뱀은 어린 왕자의 발목을 금팔찌처럼 똘똘 감으며 다시 말했다.

"누구라도 나를 건드리기만 하면 나는 그 사람을 자기가 나왔던 땅속으로 되돌려 보낼 수 있지. 하지만 너는 정직하고 순진한 데다 다른 별에서 왔으니……."

어린 왕자는 아무 대답도 하지 않았다.

"널 보니 왠지 안쓰러운 생각이 드는구나. 너처럼 연약한 아이가 이렇게 온통 화강암으로 이루어진 지구에 오다니……."

뱀이 말했다.

"언제고 네 별이 너무도 그리워져서 돌아가고 싶으면 내가 도와줄게. 나는 충분히……"

"그래, 아주 잘 알아들었어."

어린 왕자가 말했다.

"그런데 너는 어째서 입만 열면 수수께끼 같은 말만 하니?"

"내가 그 수수께끼를 속시원히 풀어 줄게."

뱀이 말했다.

그리고 둘은 입을 다물었다.

18

어린 왕자는 사막을 가로질렀지만 만난 것이라고는 오직 꽃 한 송이뿐이었다. 꽃잎이 세 개뿐인 보잘것없는 꽃이었다.

"안녕?"

"안녕?"

어린 왕자가 인사를 하자 꽃도 꽃잎을 활짝 펴며 인사했다.

"사람들은 어디 있니?"

어린 왕자가 공손히 물었다.

"사람들?"

꽃이 말을 받았다.

"예닐곱 명 정도 있기는 있는 것 같아. 몇 해 전에 그들을 본 적이 있어. 하지만 어딜 가야 찾을 수 있는지는 모르겠어. 바람이 멀리 날려 보냈을 거야. 사람들은 뿌리가 없는 탓에 살기가 아주 힘들거든."

"잘 있어."

"잘 가."

어린 왕자가 손을 흔들어 작별 인사를 하자 꽃도 이파리를 흔들며 인사했다.

19

어린 왕자는 높은 산 위에 올랐다. 그가 아는 산이라고는 그의 무릎까지 오는 세 개의 화산이 고작이었다. 그리고 어린 왕자는 불 꺼진 화산을 걸상으로 주로 사용했다. 그는 속으로 생각했다.

'이렇게 높은 산이라면 한눈에 별 전체를 다 볼 수 있겠는걸. 물론 사람들도 다 보이겠지.'

그러나 보이는 것이라고는 바늘처럼 삐죽삐죽 솟은 바

위산의 봉우리들뿐이었다.

"안녕!"

어린 왕자는 무턱대고 외쳤다.

"안녕…… 안녕…… 안녕……."

메아리가 대답했다.

"넌 누구니?"

어린 왕자가 물었다.

"넌 누구니…… 넌 누구니…… 넌 누구니……."

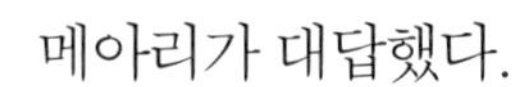
집채만 한 크기의
별에서 살았던 어린 왕자는
메아리가 뭔지 모르나 봐.

메아리가 대답했다.

"내 친구가 되어 줘. 나는 외로워."

어린 왕자가 말했다.

"나는 외로워…… 외로워…… 외로워……."

메아리가 대답했다.

'정말 이상한 별이야!'

어린 왕자는 생각했다.

'온통 메마르고, 온통 삐죽삐죽하고, 온통 거칠어서 정이 가지 않아. 게다가 사람들은 상상력도 없는지 남의 말이나 그대로 따라하고……. 내 별에는 꽃 한 송이가 있었지. 그 꽃은 언제나 먼저 말을 걸어왔는데…….'

20

모래와 바위와 눈을 헤쳐 가며 오랫동안 헤매던 어린 왕자의 눈앞에 마침내 길이 하나 나타났다. 모든 길은 사람이 사는 곳으로 이어져 있다.

"안녕?"

어린 왕자가 말했다.

그는 장미꽃이 만발한 어느 정원 앞에 서 있었다.

"안녕?"

장미꽃들이 말했다.

어린 왕자는 꽃들을 뚫어져라 바라보았다. 그 꽃들은 한결같이 그의 꽃과 너무나 닮아 있었다.

내 별의 장미꽃은
이 세상에 자기 같은
꽃은 없다고 했는데.

"너희는 누구니?"

어린 왕자는 깜짝 놀라 물었다.

"우리는 장미꽃이야."

꽃들이 대답했다.

그러자 어린 왕자에게 슬픔이 밀려왔다. 그의 꽃은 늘 이 세상에 자기 같은 꽃은 단 하나도 없다고 그에게 말해 왔다. 그런데 지금 이 정원 한 군데에만 똑같은 꽃들이 무려 오천 송이나 있지 않은가!

'내 꽃이 이 광경을 본다면 무척 속상해 하겠구나.'

어린 왕자는 속으로 생각했다.

'웃음거리가 되지 않으려고 지독하게 기침을 하며 죽는 시늉을 할 거야. 그러면 나는 마지못해 간호하는 척이라도 해야겠지. 그렇게라도 나를 낮추지 않으면 내 꽃은 정말로 죽어 버릴지도 몰라.'

아울러 어린 왕자는 스스로를 돌아보았다.

'난 내가 이 세상에 단 하나뿐인 꽃을 가진 부자인 줄로만 알았지. 하지만 그건 그냥 평범한 장미꽃일 뿐이었어. 게다가 기껏해야 무릎까지 오는 화산 세 개. 그나마 그 가운데 하나는 영영 불이 꺼져 버렸는지도 몰라. 이 정도로는 훌륭한 왕자가 되긴 틀렸어.'

그래서 어린 왕자는 풀밭에 엎드려 울었다.

21

여우가 나타난 것은 바로 그때였다.

"안녕?"

여우가 말했다.

"안녕?"

어린 왕자는 공손히 대답하며 주위를 둘러보았지만 아무도 보이지 않았다.

어린 왕자와 여우는
아름다운 인연을
맺게 된단다.

"난 여기 있어."

다시 목소리가 들렸다.

"사과나무 아래."

"넌 누구니?"

어린 왕자가 물으며 덧붙여 말했다.

"넌 참 보기 좋게 생겼구나."

"난 여우야."

여우가 말했다.

"이리 와서 같이 놀자."

어린 왕자가 부탁했다.

"난 지금 너무 불행해."

"난 너랑 놀 수 없어."

여우가 말했다.

"난 길들여지지 않았거든."

"아, 정말 미안해."

어린 왕자가 말했다.

하지만 잠시 생각에 잠기더니 이내 덧붙였다.

"그런데 길들인다는 게 뭐지?"

"넌 이곳 사람이 아니구나."

여우가 말했다.

"네가 지금 찾는 게 뭐니?"

서로에게 길들면
마음 아픈 일도
생기게 되는데…….

"난 사람들을 찾고 있어."

어린 왕자가 말했다.

"길들인다는 게 뭐야?"

여우가 말했다.

"사람들이란 말이야. 총을 가지고 사냥을 하거든. 그건 정말이지 막돼먹은 짓이야. 그들은 닭을 기르기도 해. 그들이 관심을 두는 건 그게 전부야. 너도 닭을 찾고 있는 거니?"

"아냐."

어린 왕자가 말했다.

"친구를 찾고 있는 중이야. 길들인다는 게 뭐냐니까?"

"그건 대부분의 사람이 소홀히 여기는 건데, 인연을 맺는다는 뜻이야."

"인연을 맺는다고?"

"바로 그거야."

여우가 말했다.

"넌 나에게 아직은 수없이 많은 다른 아이들과 조금도

다를 것이 없는 한 아이에 지나지 않아. 그래서 나는 네가 없어도 괜찮지. 너 또한 내가 없어도 상관없고. 네겐 내가 수많은 다른 여우들과 하나도 다를 게 없는 여우일 따름이니까. 하지만 네가 나를 길들인다면 우리는 서로를 필요로 하게 될 거야. 너는 내게 있어 세상에 하나뿐인 존재가 될 테니까. 나 역시 너에게 세상에서 하나뿐인 존재가 될 테고……."

어린 왕자는
이제야 꽃과 자신과의
관계를 깨달았어.

"무슨 말인지 이제 좀 알 것 같아."

어린 왕자가 말했다.

"꽃이 하나 있었는데, 그 꽃이 나를 길들였나 봐."

"그럴 수도 있지."

여우가 말했다.

"지구에는 별의별 일이 다 있으니까."

"아, 이건 지구에서 일어난 일이 아니야."

어린 왕자가 말했다.

여우는 어리둥절하면서도 퍽이나 궁금한 모양이었다.

"그럼 다른 별에서?"

"응."

"그 별에도 여기처럼 사냥꾼들이 있어?"

"아니."

"야, 그것 참 근사하군! 닭은 물론 있지?"

"없어."

"세상에 완벽한 건 없군."

여우가 한숨지었다.

하지만 여우는 이내 자기 생각을 이야기했다.

"내 생활은 단조롭기 그지없어. 나는 닭을 사냥하고, 사람들은 나를 사냥하지. 닭들은 모두 비슷비슷하고, 사람들도 다 거기서 거기야. 그래서 난 좀 지루해. 하지만 네가 날 길들여 준다면 내 삶에도 한줄기 햇살이 비칠 거야. 나는 여느 발소리와는 다른 발소리를 알아듣게 되겠지. 다른 발소리를 들으면 서둘러 굴속으로 숨겠지만 네 발소리는 마치 음악처럼 나를 굴 밖으로 불러낼 거야. 그

네가 떠나온 별에
사냥꾼은 없지만 닭도
없다고? 아쉬운걸.
대신 화산 세 개와
교만하긴 하지만 아름다운
장미꽃이 있어.

리고 저길 봐. 밀밭이 보이지? 나는 빵을 먹지 않아. 밀은 내게 아무 소용이 없지. 밀밭을 보아도 아무 생각이 떠오르지 않아. 그건 무척 슬픈 일이야. 하지만 네 머리카락은 금빛이야. 생각해 봐, 네가 나를 길들인다면 얼마나 멋지겠어! 금빛으로 익어 가는 낟알은 너를 떠올리게 할 거야. 그러면 밀밭을 스쳐 가는 바람 소리조차 다정하게 들리겠지."

여우는 한참 동안 어린 왕자를 바라보다가 말했다.

"나를 길들여 줘!"

"나도 정말 그러고 싶어."

어린 왕자가 대답했다.

"하지만 내겐 시간이 별로 없어. 친구들도 사귀어야 하고 이해해야 할 것들이 정말 많거든."

"누구나 자기가 길들인 것만을 이해할 뿐이야."

여우가 말했다.

"사람들은 더 이상 뭔가를 이해할 시간이 없어. 그들은 이미 만들어 놓은 물건을 상점에서 사들이지. 하지만 어느 상점에서도 우정은 팔지 않아. 그래서 사람들에게는 이제 친구가 없지. 친구를 갖고 싶으면 나를 길들여 줘."

"내가 어떻게 하면 널 길들일 수 있니?"

"참을성이 아주 많아야 해."

여우가 말했다.

"우선은 내게서 좀 떨어져 그렇게 풀밭에 앉아 있도록 해. 그리고 내가 너에게 곁눈질을 하더라도 아무 말도 하지 마. 말은 오해誤解를 불러일으키거든. 대신 내 쪽으로 조금씩 더 가까이 당겨 앉는 거야. 날마다……."

다음 날 어린 왕자는 다시 그곳으로 갔다.

"어제와 같은 시간에 왔으면 더 좋았을 텐데."

여우가 말했다.

"예를 들어 네가 오후 네 시에 온다면, 나는 세 시부터

오해(誤解) : 어떤 사실에 대하여 그릇된 판단을 내림.

행복해지기 시작할 거야. 네 시가 가까워질수록 나는 점점 더 행복해지겠지. 네 시쯤이면 나는 이미 초조焦燥해서 안절부절못할 거야. 그러다가 너를 보면 얼마나 반갑고 기쁘겠어! 하지만 네가 아무 때나 온다면 난 언제부터 너를 반길 마음의 준비를 해야 할지 알 도리가 없잖아. 그래서 의식이 필요한 거야."

"의식이 뭐야?"

어린 왕자가 물었다.

"그것 역시 사람들이 무심결에 흘려 버리는 행동이야."

여우가 말했다.

"그건 어떤 날을 다른 날과 다르게, 어떤 시간을 다른 시간과 다르게 만들어 주는 거야. 예를 들자면 나를 쫓는 사냥꾼들도 그런 의식을 치러. 그들은 매주 목요일이면 마을 처녀들과 춤을 추지. 그래서 내게 목요일은 아주 신나는 날이야! 포도밭까지 산책을 나갈 수도 있어. 하지만

초조(焦燥): 애가 타서 마음이 조마조마함.

사냥꾼들이 아무 때나 춤을 춘다면 어느 날이고 다 그날이 그날일 테니, 나는 그 어느 하루도 마음 놓고 쉴 수가 없게 된다는 말이야."

그리하여 어린 왕자는 여우를 길들였다. 그러다가 어린 왕자가 떠날 시간이 다가오자 여우가 말했다.

"아아, 울음이 터질 것만 같아."

"그건 네 탓이야."

어린 왕자가 말했다.

"나는 네게 그 어떤 상처도 주고 싶지 않았어. 그런데 네가 길들여 달라고 해서……."

친구와 헤어질 때
눈물이 나려는 것은
서로에게 길들여졌기
때문이구나.

"맞아, 그건 그래."

여우가 말했다.

"그런데도 넌 지금 울려고 하잖아!"

어린 왕자가 말했다.

"맞아, 그건 그래."

여우가 말했다.

"그럼 결국 너한테 좋은 게 하나도 없잖아!"

"그렇지는 않아."

여우가 말했다.

"밀밭의 색깔이 있잖아."

그러고는 덧붙여 말했다.

여우가
어린 왕자에게 가르쳐
준다는 비밀이 뭘까?

"가서 장미꽃들을 다시 한 번 보렴. 그러면 네 장미꽃이 이 세상에 오직 하나뿐이라는 걸 알게 될 거야. 그리고 돌아와서 내게 작별 인사를 해 줘. 그러면 선물로 비밀을 하나 알려 줄게."

어린 왕자는 장미꽃들을 보러 갔다.

"너희는 내 장미꽃과 하나도 닮지 않았어."

어린 왕자가 말했다.

"너희는 내게 아직은 아무것도 아니야. 아무도 너희를 길들이지 않았고, 너희도 누구를 길들인 적이 없으니까.

너희는 내가 여우를 처음 만났을 때와 마찬가지야. 그 여우도 수많은 여느 여우와 다를 것 없는 여우에 지나지 않았지. 하지만 나는 그를 친구로 삼았고, 이제 그 여우는 세상에 오직 하나뿐인 여우가 됐어."

그러자 장미꽃들은 매우 겸연쩍어 했다.

"너희는 아름다워. 하지만 그뿐이야."

어린 왕자는 말을 계속했다.

"아무도 너희를 위해 목숨을 바치려 하지 않아. 물론 내 장미꽃도 그저 스쳐 지나가는 사람에게는 너희와 다를 게 없어 보이겠지. 그 장미꽃은 내게 속한 것이니까. 하지만 내게는 너희 같은 수많은 장미보다 오직 하나 그 꽃만이 소중할 따름이야. 왜냐하면 그 꽃만이 내가 물을 준 꽃이고, 유리 덮개를 씌워 준 꽃이고, 바람막이를 세워 준 꽃이고, 내가 직접 벌레를 잡아 준(나비가 되라고 남겨 둔 두세 마리는 빼고) 꽃이니까. 불평을 할 때도, 자랑을 할 때도, 심지어 아무 말도 하지 않을 때조차 내가 그 곁에서 귀 기울여 주었던 꽃이니까. 바로 내 장미꽃이니까."

그리고 어린 왕자는 여우에게 돌아가 말했다.

"잘 있어."

"잘 가. 그럼 이제 비밀을 말해 줄게. 아주 간단한 거야. 오직 마음으로 보아야 올바로 볼 수 있다는 거야. 가장 중요한 것은 눈에 보이지 않거든."

"가장 중요한 것은 눈에 보이지 않는다."

어린 왕자는 여우의 말을 잘 기억하려고 되뇌었다.

"네 장미꽃이 그토록 소중한 존재가 된 것은 네가 그 꽃에 기울인 시간 때문이야."

"내가 그 꽃에 기울인 시간 때문……."

어린 왕자는 잊지 않기 위해 되뇌었다.

"사람들은 이런 진실을 잊어버렸어."

여우가 말했다.

"하지만 넌 결코 그걸 잊어서는 안 돼. 너는 네가 길들인 것에 대해 영원히 책임이 있어. 너는 네 장미꽃에 대해 책임이 있어."

"나는 내 장미꽃에 대해 책임이 있다."

너는 네가
길들인 장미꽃에
책임을 져야 해.

어린 왕자는 잊지 않으려고 되새겼다.

22

"안녕?"

어린 왕자가 말했다.

"안녕?"

철도원이 말했다.

"뭘 하고 계세요?"

어린 왕자가 물었다.

"나는 승객들을 천 명씩 나누어 보내고 있단다."

철도원이 말했다.

"승객들을 태운 기차를 때로는 오른쪽으로, 때로는 왼쪽으로 보내는 거지."

그때 환하게 불을 밝힌 급행열차가 천둥 같은 소리를 내며 달려오더니 선로 조종실을 뒤흔들며 지나갔다.

"굉장히 바쁜가 봐요. 그런데 저 사람들은 도대체 뭘

찾는 거죠?"

"그건 열차를 모는 기관사도 몰라."

환하게 불을 밝힌 급행열차가 아까와는 반대편에서 천둥처럼 요란하게 달려왔다.

"아까 그 사람들이 벌써 돌아가는 건가요?"

"이건 다른 열차야. 서로 교차交叉하는 거지."

"원래 있던 곳이 마음에 들지 않았던 걸까요?"

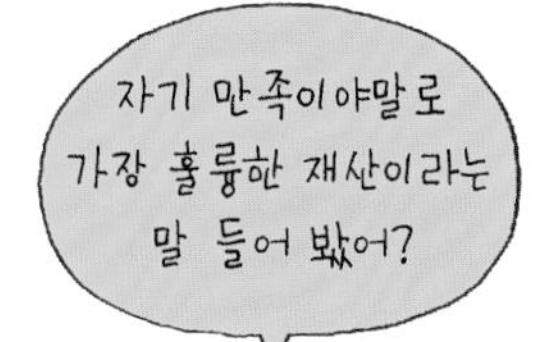

어린 왕자가 물었다.

"자기가 있는 곳에 만족하는 사람은 아무도 없단다."

철도원이 말했다.

다시 우레와도 같은 소리가 들렸다. 환하게 불을 켠 세 번째 급행열차였다.

교차(交叉) : 서로 엇갈리거나 마주침.

"이 사람들은 조금 전에 지나간 사람들을 뒤쫓아 가는 건가요?"

"쫓아가긴 뭘 쫓아가겠어? 저 안에서 잠을 자거나, 아니면 하품이나 하는 거지. 아이들만이 창유리에 코를 바짝 대고 밖을 내다볼 뿐이란다."

"자기가 무얼 찾으려는지 아는 건 아이들뿐이군요."

어린 왕자가 말했다.

"아이들은 헝겊 인형 하나에도 많은 시간을 기울이다 보니 그 인형이 아주 중요해지죠. 그래서 누가 빼앗아 가기라도 하면 울어 대잖아요."

"아이들은 좋겠구나."

철도원은 말했다.

23

"안녕?"

어린 왕자가 말했다.

"안녕?"

장사꾼이 대답했다.

그는 새로 나온 갈증 해소 알약을 파는 장사꾼이었다. 한 알만 먹으면 일주일 동안 목마름을 느끼지 못한다는 것이었다.

어른들은 별로
중요하지도 않은 일을
하는 것 같은데, 왜 만날
바쁘다고 하지?

"왜 그런 걸 팔고 있어요?"

어린 왕자가 물었다.

"엄청난 시간을 절약할 수 있거든."

장사꾼이 말했다.

"전문가들이 계산해 본 결과, 이 약으로 일주일에 무려 오십삼 분을 절약할 수 있대!"

"그 오십삼 분으로 뭘 하죠?"

"하고 싶은 걸 하지."

'오십삼 분이라는 시간을 내 마음대로 쓰라면 난 시원한 물이 솟는 샘을 향해 유유히 걸어가겠어.'

어린 왕자는 생각했다.

24

사막에서 비행기가 고장을 일으킨 지도 여드레가 되었다. 나는 장사꾼의 이야기를 듣는 동안 남아 있던 물을 마지막 한 방울까지 마셔 버리고야 말았다.

"아, 너는 참 재미있는 일들을 겪었구나."

나는 어린 왕자에게 말했다.

"하지만 난 여태 비행기도 고치지 못했고, 이제는 더 이상 마실 물도 없단다. 나도 그렇게 시원한 물이 솟는 샘을 향해 느긋하게 걸어가 봤으면 정말 좋겠다."

여우는 이제 밀밭을 볼 때마다 어린 왕자를 떠올리며 그리워하겠지.

"내 친구 여우는……."

어린 왕자가 내게 말했다.

"여우 얘기나 하고 있을 때가 아니란다."

"왜?"

"당장 목이 말라 죽을 지경이거든."

어린 왕자는 마치 내 말을 알아듣지 못한 듯 대답했다.

"아무리 죽을 지경이라도 친구가 있었다는 건 좋은 일이야. 난 여우가 내 친구였다는 게 참 기뻐."

'이 아이는 상황이 얼마나 위급한지 짐작도 못하는군.'

나는 속으로 중얼거렸다.

'배가 고프거나 목이 마르지도 않은가 봐. 그저 햇볕이나 약간 있으면 되는 걸까?'

하지만 어린 왕자는 내 속을 다 아는 것처럼 나를 빤히 쳐다보며 말했다.

"나도 목이 말라. 샘을 찾으러 가."

나는 피곤하다는 몸짓을 해 보였다. 이런 허허벌판 사막 한가운데에서 무턱대고 샘을 찾아 나선다는 것은 말도 안 되는 짓이었다. 그런데도 우리는 이내 걷기 시작했다.

우리가 몇 시간이고 아무 말 없이 터벅터벅 걷는 사이에 어둠이 밀려오고 별들이 모습을 드러냈다. 갈증 때문에 열이 난 탓인지 그런 광경들이 모두 꿈속만 같았다. 어린 왕자의 마지막 말이 쉬지 않고 머릿속에 맴돌았다.

"그래, 너도 목이 마르단 말이지?"

내가 물었다. 하지만 어린 왕자는 대답하지 않았다. 이렇게 말할 따름이었다.

"물은 마음에도 좋을 수 있어."

나는 무슨 말인지 몰랐지만 아무 대꾸도 하지 않았다. 그에게는 뭘 되묻지 않는 편이 훨씬 나았기 때문이다.

어린 왕자는 지쳤는지 주저앉았다. 나도 그 곁에 주저앉았다. 잠시 침묵이 흐른 뒤 어린 왕자가 다시 말했다.

"어느 별에 살고 있는 한 송이 꽃 때문에 밤하늘의 별들이 아름다워 보이는 거야."

"맞아, 그건 그래."

내가 대답했다. 그러고는 잠자코 우리 앞에 펼쳐진, 달빛 아래 물결치는 모래를 둘러보았다.

"사막은 아름다워."

어린 왕자가 말했다. 정말 그랬다. 나는 언제나 사막이 좋았다. 사막의 모래언덕 위에 앉아 있으면 아무것도 보이지 않고, 아무것도 들리지 않는다. 침묵 속에 무언가 떨림이 느껴지며 희미한 빛이 밝아 오는 것이다.

별은 아름다워.
어느 별에 피어 있는
한 송이 꽃 때문에…….

"사막이 아름다운 까닭은 어딘가에 샘을 감추고 있기 때문이야."

어린 왕자가 말했다.

나는 문득 모래가 신비스럽게 빛나는 까닭을 깨닫고 화들짝 놀랐다. 어릴 적 내가 살던 오래된 집에는 보물이 묻혀 있다는 이야기가 전해 내려오고 있었다. 물론 아무도 그 보물을 어떻게 찾아야 할지 몰랐으며, 찾아보려고 하지도 않았을 것이다. 하지만 그 때문에 그 집에는 신비로운 분위기가 감돌았다. 우리 집은 깊숙한 어딘가 비밀을 숨기고 있었으니까.

"그래, 집이든 별이든 사막이든 그 아름다움은 눈에 보이지 않는 것에서 비롯되는 거야!"

나는 어린 왕자에게 말했다.

"내 여우와 같은 생각이라니, 반가워."

어린 왕자가 말했다.

어린 왕자가 잠이 들자 나는 그를 품에 안고 걷기 시작했다. 가슴 깊이 뭉클한 감동이 피어올랐다. 마치 금방이라도 부서질 듯한 보물을 옮기는 것 같았다. 심지어 세상에 이보다 더 부서지기 쉬운 것은 없을 거라는 생각마저 들었다. 달빛에 드러난 어린 왕자의 창백한 이마와 감긴 눈, 바람결에 흩날리는 헝클어진 머리칼을 바라보며 나는 속으로 생각했다.

'지금 내가 보는 건 껍질에 지나지 않아. 정작 중요한 건 눈에 보이지 않는다고.'

어른들은 어린 왕자에게 배워야 해. 눈에 보이는 돈이나 명예 같은 건 중요하지 않다는걸.

웃음 짓듯 살포시 열린 어린 왕자의 입술을 바라보며 나는 다시 생각에 잠겼다.

'이렇게 잠들어 있는 어린 왕자가 나를 감동시키는 것은 꽃에 대한 그의 변하지 않는 마음 때문이야. 비록 잠들어 있을지라도 장미꽃에 대한 생각은 램프의 불꽃과도 같이 그를 환히 밝혀 주는구나.'

그렇기에 나는 어린 왕자가 더욱 부서지기 쉽다고 여겼

다. 나는 한줄기 바람에도 꺼질 수 있는 불꽃과도 같은 어린 왕자를 반드시 지켜 주어야겠다고 생각했다.

그렇게 줄곧 걷던 나는 동이 틀 무렵 샘을 찾았다.

25

"사람들은 급행열차에 올라 갈 길을 서두르면서도 자신들이 찾는 게 뭔지 몰라. 그래서 까닭 없이 들뜬 채로 우왕좌왕 몰려다니는 거야."

어린 왕자는 이렇게 말하고는 곧이어 덧붙였다.

"그렇게 안절부절못할 일이 아닌데……."

우리가 다다른 샘은 사하라의 샘들과는 좀 달랐다. 사하라의 샘들은 대개 모래에 간신히 구멍만 파 놓은 것이었다. 그러나 이것은 여느 마을의 우물과도 다를 바가 없었다. 하지만 근처에 마을이라고는 없었다. 마치 꿈만 같았다.

"정말 이상해. 모든 게 빠짐없이 갖춰져 있잖아. 도르래와 두레박, 밧줄까지……."

우물이 노래를
불러 주고 있어요!

내가 말하자 어린 왕자는 웃으며 밧줄을 당겨 도르래를 돌려 보았다. 그러자 도르래가 삐걱거렸다. 마치 오래도록 바람을 만나지 못한 낡은 풍향계처럼.

"들려요? 우리가 우물을 깨운 거예요. 그래서 저렇게 노래를 하는 거라고요."

나는 어린 왕자가 힘들여 밧줄을 당기게 하고 싶지는 않았다.

"내가 할게. 네겐 너무 힘들어."

나는 천천히 두레박을 당겨 우물전에 올려놓았다. 무척 피로했지만 성취감이 행복을 안겨 주었다. 도르래의 노랫소리가 귓전에 울렸고, 찰랑대는 물 위로 퍼지는 햇살이 보였다.

"목이 말라. 그 물을 좀……."

그제야 어린 왕자가 찾던 것이 무엇인지 깨달았다.

나는 두레박을 들어 그의 입술에 대어 주었다. 어린 왕자는 눈을 감은 채 물을 마셨다. 그것은 어느 특별한 잔치 음식 못지않게 달콤했다. 이 물은 평범한 물과는 확실히 달랐다. 별빛을 받으며 걸어와서 도르래의 노랫소리를 들으며 힘들게 길어 올린 물이었다. 마치 선물처럼 마음까지 흠뻑 적셔 주었다. 내가 어린 소년이었을 때도 크리스마스트리의 불빛이며 한밤의 미사 음악, 미소 띤 얼굴들이 내가 받은 선물에 광채를 더해 주었다.

"아저씨가 사는 이곳 사람들은 정원 하나에 오천 송이나 되는 장미를 키우면서도 자기들이 찾아 헤매는 것을 그 가운데서 찾아보려고 하지는 않아."

마음의 눈으로
바라보면 눈으로는
보이지 않던 것들이
보인단다.

"그렇지."

"하지만 그들이 찾는 것은 한 송이의 장미꽃이나 한 모금의 물에서도 발견할 수 있는 거야."

"맞아, 정말 그래."

내 말에 어린 왕자가 덧붙였다.

"그러나 눈으로는 아무것도 보지 못해. 꼭 마음으로 보아야만……."

나는 물을 마셨다. 숨쉬기가 좀 편해졌다. 해가 뜰 때의 모래는 꿀과 같은 빛깔이다. 아울러 그 꿀 빛은 나를 행복하게 한다. 그런데 이 슬픈 느낌은 대체 어디에서 비롯된 것일까?

어린 왕자는 꽃에 대한
책임 때문에 자기가 살던
별로 돌아가려는 거야.

"약속은 꼭 지켜야 해."

어린 왕자가 다시 내 곁에 와 앉으며 나직이 말했다.

"무슨 약속?"

"알잖아. 내 양에게 씌울 입마개 말이야. 난 내 꽃에 대해 책임이 있어."

나는 아무렇게나 휘갈겼던 그림들을 주머니에서 꺼냈다. 어린 왕자는 그 그림들을 넘겨다보더니 웃으며 말했다.

"그 바오바브나무들은 꼭 무슨 양배추 같아."

"응?"

나는 바오바브나무의 그림만큼은 만족스러웠다.

"아저씨가 그린 여우 말이야. 마치 귀가 무슨 뿔 같아.

게다가 너무 길고."

어린 왕자가 다시 웃었다.

"너무하잖아. 나는 보아 구렁이의 겉모습과 속이 보이는 모습 말고는 그림을 그려 본 적이 없다고 했잖아."

"아, 그 정도면 훌륭해. 어린이들은 다 아니까."

그래서 나는 연필로 입마개를 하나 그렸다. 그걸 어린 왕자에게 건넬 때 가슴이 메었다.

"내가 모르는 무슨 계획이 있나 본데……."

어린 왕자는 대답 대신 다른 말을 했다.

"있잖아, 내가 지구에 내려온 지 내일이면 꼭 일 년이 되거든."

잠시 침묵이 흐른 뒤 어린 왕자가 말을 이었다.

"바로 이 근처로 내려왔었어."

그리고 어린 왕자는 얼굴을 붉혔다.

그러자 나는 다시 한 번 까닭 모를 야릇한 슬픔을 느꼈다. 그러면서도 한편으로는 궁금한 생각이 들었다.

"일주일 전, 널 처음 만나던 날 아침에 사람 사는 곳에서 수천 킬로미터나 동떨어진 이 사막을 너는 혼자 걷고 있었잖아. 그러면 그게 다 우연이 아니었던 거니? 처음 내려온 곳으로 되돌아가던 길이었어?"

어린 왕자는 다시 얼굴을 붉혔다.

나는 머뭇거리며 다시 물었다.

"혹시 일 년이 되었기 때문이니?"

어린 왕자는 다시 한 번 얼굴을 붉혔다. 그 어느 질문에도 대답하지 않았지만 얼굴을 붉힌다는 것은 '그렇다'는 뜻이 아니겠는가.

"아, 난 두렵구나."

그러나 어린 왕자가 내 말을 가로막았다.

"이제 아저씨는 일을 해야지. 엔진이 있는 곳으로 돌아가야 해. 난 여기서 기다릴게. 내일 저녁에 다시 와."

그러나 나는 마음이 놓이지 않았다. 여우가 생각났다. 누군가에게 길들여졌다면 눈물을 좀 흘릴 각오도 해야 한다.

26

우물 옆에는 폐허가 된 옛 돌담이 있었다. 다음 날 저녁 작업을 마치고 돌아오던 나는 어린 왕자가 그 돌담에 걸터앉아 다리를 대롱대롱 늘어뜨리고 있는 모습을 멀리서 보았다. 어린 왕자가 이야기하는 소리가 들려왔다.

"그럼 생각이 안 나는 모양이구나. 여기가 정확한 곳은 아니야."

다른 목소리가 뭐라고 대답을 한 모양이었다. 어린 왕자가 대꾸하는 소리가 들렸다.

"그래, 그래! 날짜는 맞지만, 여긴 거기가 아니야."

나는 걸음을 멈추지 않고 담장으로 다가갔다. 하지만 여전히 아무도 보이지 않았다. 무슨 소리가 들리지도 않았다. 그러나 어린 왕자는 계속 이야기를 주고받았다.

"바로 그거야. 모래 위에 찍힌 내 발자국이 어디서부터 시작되는지 볼 수 있을 거야. 거기서 기다리기만 해. 오늘 밤 내가 그리로 갈게."

돌담에서 이십 미터쯤 떨어진 곳까지 다가갔지만 여전

히 아무것도 보이지 않았다.

잠시 사이를 두었다가 어린 왕자가 다시 말했다.

"네 독은 좋은 거겠지? 고통이 길지 않을 거라는 게 확실하니?"

나는 우뚝 멈춰 섰다. 가슴이 갈기갈기 찢어지는 듯했지만 내가 이해할 수 있는 말은 아무것도 없었다.

"이제 그만 가 봐. 담에서 그만 내려갈래."

나는 돌담 밑을 내려보다가 펄쩍 뛰어올랐다. 불과 삼십 초면 사람의 목숨을 앗아갈 수 있는 노란 뱀 한 마리가 어린 왕자와 마주보고 있었던 것이다.

나는 권총을 꺼내기 위해 정신없이 주머니를 더듬으면서 황급히 뒷걸음질했다. 하지만 내 발소리에 뱀은 마치 솟아오르던 물줄기가 잦아들듯 모래 속으로 유유히 사라졌다. 서두르는 기색도 없이 경쾌한 쇠붙이 소리와 함께 돌 틈으로 모습을 감추어 버린 것이다.

나는 돌담 아래에 이르러 어린 왕자를 가까스로 품에 받아 안을 수 있었다. 그의 얼굴은 눈처럼 희었다.

날 너무
오래도록 아프게
하지는 않을 거지?
내 독이 좋은
건지는 모르겠지만
고통이 길지는
않을 거야.

"도대체 무슨 일이니? 왜 뱀하고 이야기를 하고 있는 거야?"

나는 언제나 어린 왕자의 목에 감겨 있는 금빛 머플러를 느슨히 풀어 주었다. 그리고 관자놀이를 축여 준 다음 물을 좀 마시게 했다. 더 이상 뭘 물어볼 엄두가 나지 않았다. 어린 왕자는 심각한 표정으로 나를 바라보더니 팔을 둘러 내 목을 안았다. 총에 맞아 죽어 가는 가냘픈 한 마리 새처럼 어린 왕자의 심장이 약하게 뛰고 있었다.

"아저씨가 엔진을 고쳐서 참 다행이야. 이젠 집으로 돌아갈 수 있잖아."

"그걸 어떻게 알았니?"

나는 그토록 끙끙대던 작업이 마침내 성공했다는 걸 어린 왕자에게 알려 주려고 돌아온 참이었다.

어린 왕자는 내가 묻는 말에 대답하지 않고 말했다.

"나도 오늘 내 별로 돌아가."

그리고 서글프게 덧붙였다.

"그건 훨씬 더 어려운 일이야."

나는 그제야 뭔가 심상치 않은 일이 일어나고 있다는 것을 깨달았다. 나는 어린 왕자가 마치 아기라도 되는 양 내 품에 더 꼭 끌어안았다. 하지만 그는 여전히 깊이를 알 수 없는 심연深淵으로 곤두박질하는 것만 같았다. 그를 다시 끌어올리기 위해 내가 할 수 있는 건 아무것도 없었다. 어린 왕자의 눈빛은 심각했다. 머나먼 어딘가를 헤매는 듯했다.

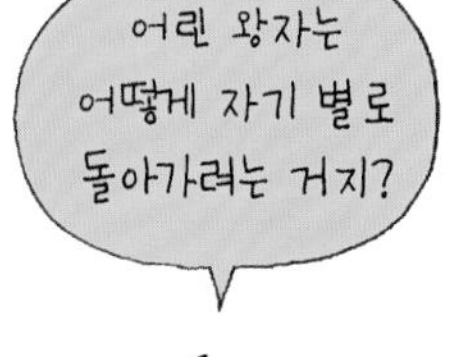

"내게는 아저씨가 준 양이 있어. 양을 넣어 두는 상자도 있고, 입마개도……."

그렇게 말하고는 쓸쓸히 웃어 보였다.

나는 오래도록 기다렸다. 어린 왕자는 조금씩 조금씩 생기를 되찾아 갔다.

"내 작은 친구, 무서웠지?"

어린 왕자는 틀림없이 두려웠을 것이다. 하지만 내 물음에 그저 가볍게 웃을 뿐이었다.

심연(深淵) : 좀처럼 빠져나오기 힘든 구렁을 비유적으로 이르는 말.

"오늘 저녁엔 더 무서울 텐데 뭘……."

뭔가 돌이킬 수 없는 일이 일어나고 있다는 느낌에 내 가슴은 서늘해졌다. 두 번 다시 그 웃음소리를 들을 수 없다면 도저히 견뎌 내지 못할 것 같았다. 그것은 내게 마치 사막 한가운데에서 솟아오르는 시원한 샘물이나 마찬가지였다.

내 웃음소리도
누군가에게 시원한
샘물이 되어 준다면
얼마나 행복할까?

"얘, 네 웃음소리를 다시 듣고 싶어."

"오늘밤이면 꼭 일 년이 돼. 그러면 내가 처음 지구에 도착했던 자리 바로 위에 내 별이 오게 돼, 일 년 전……."

"얘, 이게 다 몹쓸 꿈이라고 말해 주렴. 뱀이니 약속 장소니 별이니 하는 것들 말이야."

그러나 어린 왕자는 내 간청에 답하는 대신 말했다.

"중요한 건 눈에 보이지 않아."

"그래, 알아."

"그건 꽃도 마찬가지야. 만약 어느 별에 사는 한 송이 꽃을 사랑한다면 밤중에 하늘만 바라보아도 기분이 참 좋을 거야. 어느 별에나 꽃이 피어 있을 테니까."

"그래, 안단다."

"물도 마찬가지야. 아저씨가 내게 준 물은 음악 같았어. 도르래와 밧줄 때문이지. 아저씨도 생각나지? 얼마나 근사했는지."

"그래, 알아."

"그리고 아저씨는 밤마다 별들을 바라보게 될 거야. 내가 사는 별은 모든 게 너무나 작아서 그 별이 어디에 있는지 아저씨에게 알려 줄 수가 없어. 그건 오히려 잘된 일이야. 아저씨는 그냥 저 별들 가운데 어느 하나가 내 별이라고 생각할 테니까. 그러면 아저씨는 하늘에 있는 모든 별을 사랑하게 될 테고, 그 별들은 모두 아저씨 친구가 될 거야. 참, 그리고 아저씨에게 줄 선물이 하나 있어."

어린 왕자가 다시 웃었다.

"아, 어린 왕자, 소중한 어린 왕자! 난 그 웃음소리가 너무 좋아."

"바로 그게 내 선물이야. 그건 우리가 물을 마시던 때도 마찬가지야."

"무슨 말이지?"

"사람들은 누구나 별을 가지고 있어. 하지만 별들이 누구에게나 다 같은 건 아니야. 예를 들어 여행자라면 별은 그에게 길잡이가 되지. 어떤 사람들 눈에는 별이란 그저 하늘에서 조그맣게 반짝이는 것에 지나지 않아. 학자의 눈에는 별들이 해결해야 할 문제로 보이겠지. 전에 말했던 사업가에겐 재산으로 보일 테고. 하지만 별들은 한결같이 아무 말이 없어. 아저씨, 오직 아저씨만이 그 누구도 갖지 못한 별을 갖게 될 거야."

"그건 또 무슨 말이니?"

"저 별들 중 어느 하나에 내가 살고 있을 테니까. 저 별들 중 어느 하나에서 내가 웃고 있을 테니까. 결국 아저씨가 밤하늘을 바라볼 때면 모든 별이 웃고 있을 거야. 그러면 오직 아저씨만이 웃을 줄 아는 별들을 갖게 되는 거야."

그리고 어린 왕자는 또 웃었다.

"그리고 슬픔이 가라앉고 나면 '시간은 모든 슬픔을 씻어주니까' 아저씨는 날 알게 된 걸 기뻐하게 될 거야. 아저씨는 언제까지나 내 친구가 될 거고 나와 함께 웃고 싶어질 거야. 그리고 아저씨는 이따금씩 창문을 열어젖히겠지. 그냥 그러고 싶어서. 그러면 아저씨 친구들은 하늘을 보고 웃는 아저씨 모습에 깜짝 놀랄 거야. 그러면 아저씨는 이렇게 말하겠지. '그래, 난 하늘만 보면 웃음이 나와!' 그럼 친구들은 아저씨가 미쳤다고 생각할 거야. 그렇게 되면 내가 아저씨에게 쓸데없는 장난을 친 셈이 되겠는걸."

오늘 밤하늘의
별들을 올려다보렴.
나를 향해 웃어 주는
별이 있는지.

그리고 어린 왕자는 다시 웃었다.

"그건 마치 내가 아저씨에게 별 대신 웃을 줄 아는 조그만 방울들을 헤아릴 수 없을 만큼 준 것과도 같아."

어린 왕자는 또 웃었다. 그러고는 곧바로 심각해졌다.

"있잖아. 오늘은 오지 마."

"널 혼자 있게 하지는 않을 거야."

"나는 아마 고통스러워 보일지도 몰라. 거의 죽어 가는 것처럼 보일 수도 있어. 하지만 원래 그런 거니까 보러 오지 마. 그럴 필요 없어."

"널 혼자 두진 않아."

하지만 어린 왕자는 걱정이 되는 모양이었다.

"내가 이런 말을 하는 건 뱀 때문이기도 해. 혹시나 뱀이 아저씨를 물면 안 되잖아. 뱀은 심술궂은 데가 있는 동물이거든. 그저 재미 삼아 아저씨를 물어 버릴지도 몰라."

"어쨌든 네 곁을 떠나진 않겠어."

그러나 한 가지 생각이 어린 왕자를 안심케 했다.

"하긴 두 번째부터는 물어도 더 이상 독이 없다니까."

그날 밤 나는 그가 떠나는 것을 보지 못했다. 그는 소리 없이 사라져 버렸다. 내가 따라잡았을 때 어린 왕자는 빠르고 단호한 걸음걸이로 홀로 걷고 있었다. 그는 다만 이렇게 말할 뿐이었다.

장미꽃은 날
기다리고
있을까?

"아, 아저씨구나."

그러고는 내 손을 잡았다. 하지만 어린 왕자는 여전히 걱정스러운 모양이었다.

"아저씨는 오지 말았어야 했어. 마음이 아플 테니까. 나는 죽은 것처럼 보이겠지만 사실은 그렇지 않아."

나는 아무 말도 하지 않았다.

"아저씨도 알다시피 거긴 너무 멀어. 난 이 몸을 함께 가져갈 수가 없어. 너무 무겁거든."

나는 아무 말도 하지 않았다.

"하지만 그건 낡아서 버려진 껍데기 같을 거야. 낡은 껍데기 따위가 슬플 까닭은 없지."

내가 아무 말도 하지 않자 어린 왕자는 약간 시무룩해졌다. 하지만 다시 용기를 내어 말했다.

"있잖아, 그건 정말 근사할 거야. 나도 별들을 바라볼게. 모든 별들은 녹슨 도르래가 달린 우물이 되겠지. 모든 별들이 시원한 물을 부어 줄 거야. 내가 마실 수 있도록 말이지."

나는 아무 말도 하지 않았다.

"그것 참 재미있겠다! 아저씨는 오억 개나 되는 작은 방울들을 갖게 되고, 나는 시원한 물이 샘솟는 오억 개의 샘을 갖게 되는 거잖아."

그리고 이번에는 어린 왕자도 아무 말이 없었다. 울고 있었던 것이다.

"바로 저기야. 나 혼자 가도록 해 줘."

그러더니 어린 왕자는 그 자리에 주저앉았다. 두려웠던 것이다. 어린 왕자는 다시 말했다.

"있잖아, 내 꽃 말이야……. 나는 그 꽃에 책임이 있어. 게다가 그 꽃은 연약해. 너무나 순진하고. 세상에 맞서 자신을 지킬 것이라고는 고작 네 개의 가시가 전부야."

나도 주저앉았다. 더는 서 있을 수가 없었던 것이다.

"자, 이게 다야."

어린 왕자는 아직도 좀 망설이는 듯했으나 곧 몸을 일으켰다. 그리고 한발을 내디뎠다. 나는 꼼짝할 수가 없었다.

언뜻 그의 발목 언저리에서 노란빛이 반짝한 게 전부였

다. 어린 왕자는 잠시 얼어붙은 듯 꼼짝 않고 서 있었다. 울음을 터뜨리지도 않았다.

어린 왕자는 한 그루 나무처럼 천천히 쓰러졌다. 모래 때문에 소리조차 나지 않았다.

27

어느덧 여섯 해가 흘렀다.

나는 지금껏 이 이야기를 한 적이 없다. 귀환歸還하여 다시 만난 동료들은 내가 살아 있음을 무척이나 기뻐했다. 나는 슬펐지만 그들에게는 그저 이렇게만 말했다.

"좀 지쳤어."

이제는 나의 슬픔도 약간은 가라앉았다.

나는 어린 왕자가 자신의 별로 돌아갔다는 걸 알고 있다. 왜냐하면 날이 밝았을 때 어디서도 그의 몸을 찾아볼

귀환(歸還) : 다른 곳으로 떠나 있던 사람이 본래 있던 곳으로 돌아오거나 돌아감.

나만의 장미꽃!
기다려. 내가 곧
갈게.

수 없었기 때문이다. 그리고 나는 밤이면 별들에게 귀 기울이기를 좋아하게 되었다. 그것들은 오억 개의 방울이나 마찬가지였으니까.

그런데 한 가지 큰일이 있다. 어린 왕자에게 입마개를 그려 줄 때 나는 그만 입마개에 가죽 끈을 그려 넣는 것을 빼먹고 말았던 것이다.

어린 왕자는 그 입마개를 도저히 양의 주둥이에 묶을 수 없었을 것이다. 그 궁금증은 지금까지 가라앉지 않고 있다. 어린 왕자의 별에 무슨 일이 일어난 건 아닐까? 어쩌면 양이 꽃을 먹어 치웠을지도…….

때로는 속으로 생각해 본다.

'절대 그럴 리 없어! 어린 왕자는 밤마다 꽃에게 유리 덮개를 씌워 줄 테고, 양도 주의注意를 기울여 보살펴 줄 테니까.'

그러자 마음이 놓이고 행복해졌다. 아울러 모든 별이

주의(注意) : 마음에 새겨 두고 조심함.

상냥하게 웃어 주었다.

또 어떤 때는 생각한다.

'어느 한 순간, 아니면 무엇엔가 정신이 팔렸을 때라면 얼마든지 일어날 수 있는 일이야! 어느 날 저녁 유리 덮개를 덮어 주는 걸 깜빡했다든지, 아니면 양이 한밤중에 소리도 없이 상자 밖으로 나온다든지…….'

이런 생각을 할 때면 작은 방울들은 모두 눈물로 변했다. 이건 정말 커다란 수수께끼다. 어린 왕자를 사랑하는 여러분이나 나나 어딘지도 모를 곳에서 본 적도 없는 양 한 마리가 장미꽃을 먹어 치웠느냐 아니냐에 따라 세상이 뒤바뀌다니…….

눈을 들어 하늘을 보라. 그리고 스스로에게 물어보라. 양이 꽃을 먹었을까? 먹지 않았을까? 그러면 모든 것이 어떻게 변하는지 알 수 있을 것이다.

하지만 어른들은 이 문제가 그토록 중요하다는 사실을 아무도 깨닫지 못할 것이다!

보이지 않는 것의
아름다움을 아는
어른이라면 깨달을 수
있을 거야.

이건 나에겐 세상에서 가장 사랑스럽고 가장 슬픈 풍경이다. 바로 앞의 그림과 똑같은 그림이지만 여러분의 기억 속에 좀 더 또렷이 새겨지도록 다시 그려 보았다. 어린 왕자가 지구에 나타난 곳도, 사라진 곳도 바로 여기다.

언젠가 아프리카의 사막을 여행하게 되면 확실히 알아볼 수 있도록 주의 깊게 보아 두기 바란다. 그리고 혹시라도 이곳을 지나게 된다면 절대 서두르지 말 것을 부탁한다. 정확히 그 별 아래에서 때를 기다려 보라. 그리하여 한 금발의 어린 소년이 웃으며 나타난다면, 게다가 묻는 말에 대답하지 않는다면 여러분은 그가 누구인지 알 것이다. 만약에 그렇게 된다면 부디 나를 이 슬픔에서 건져 주기를! 부디 그가 돌아왔다는 소식을 전해 주기를!

PART 3

깊어지는

중요한 것을 바라볼 수 있는
마음의 눈은 우리 모두에게도 있단다!

깊어지는 논술

작품 소개

때 묻지 않은 어린 아이의 눈으로 보는 세상

〈어린 왕자〉는 제2차 세계 대전 당시 프랑스가 나치스에게 함락 당하자 미국으로 건너간 생텍쥐페리가 1943년 발표한 동화예요. 1946년 프랑스에서 정식으로 출간된 〈어린 왕자〉는 지금도 전 세계에서 가장 많이 읽히는 프랑스 문학으로 손꼽히지요.

이 작품은 작가가 첫머리에서 밝혔듯이 레옹 베르트라는 어른에게 바친 어른을 위한 동화예요. 여러 별을 여행하면서 어린 왕자는 다양한 어른들을 만나지요. 명령하기만을 좋아하는 왕, 자기 별도 탐사해 보지 않은 지리학자, 술 마시는 게 부끄러워 늘 취해 사는 술꾼 등. 어린 왕자는 모순 덩어리인 어른들을 보며 고개를 갸우뚱하지요.

생텍쥐페리는 다양한 인물들을 등장시켜 눈물이 말라 버린 어른들을 울리며 큰 감동을 주고 있어요.

◀ 생텍쥐페리는 〈어린 왕자〉를 통해 순수함을 잃어버린 어른들에게 동심을 일깨워 주고 있어요.

작가 소개

생텍쥐페리 (Antoine de Saint-Exupéry, 1900~1944)

생텍쥐페리의 글에는 사막과 비행기와 별들이 많이 나와요. 열두 살 때 유명한 조종사였던 베를린에 이끌려 자신의 삶과 문학에서 가장 중요한 비행기를 타는 경험을 하지요. 공군에 입대해 조종사 훈련을 받은 생텍쥐페리는 제대 후 우편물을 나르는 비행기를 조종해요. 아르헨티나 항공에 근무하던 시기의 경험을 토대로 한 〈야간 비행〉은 페미나상을 받기도 했지요.

생텍쥐페리는 제2차 세계 대전이 일어나자 군용기 조종사로 종군하던 중 정찰 비행에 나섰다가 행방불명되었어요.

간결하면서도 상징적인 문체로 유명한 생텍쥐페리의 대표 작품으로는 〈남방 우편기〉, 〈야간 비행〉, 〈인간의 대지〉 등이 있습니다.

▲ 〈어린 왕자〉의 삽화는 작가 생텍쥐페리가 직접 그렸어요.

마음으로 보면
세상이 달라 보인답니다!

생각의 날개를 펼쳐요!

아이들의 열린 마음과 어른들의 닫힌 마음

순수함을 잃어버린 어른들에게 많은 생각을 하게 해 주는 〈어린 왕자〉에는 다양한 인물이 등장하지요. 꽃과 여우와 뱀도 의인화되어 등장해요. 작가 생텍쥐페리는 이러한 등장 인물들을 통하여 우리에게 많은 교훈을 주고 있답니다.

집 한 채보다 클까 말까 한 어린 왕자의 별에 날아온 꽃씨가 싹을 틔우더니 오랜 몸단장 끝에 꽃을 피웠어요. 아름다운 자태를 뽐내는 장미꽃이었지요. 어린 왕자는 그 아름다움에 감탄하지만 교만하고 허영심 많은 장미꽃 때문에 별을 떠나기로 마음먹어요.

장미꽃에게 작별 인사를 하고 별을 떠난 어린 왕자는 여우를 만나고 나서야 그 꽃이 세상의 다른 어떤 장미꽃과는 다른 자신만의 소중한 꽃이라는 걸 깨닫게 된답니다.

여우가 말했지요.

"정말로 중요한 것은 눈에 보이지 않는 법이야."

하지만 어린 왕자는 꽃의 말만을 듣고 불행하다고 생각했어요.

눈에 보이지 않는 향기로 어린 왕자의 별을 향기롭게 해 준 것이 그 꽃이었다는 것을 마음으로 보지 못했던 것이지요.

우리는 간혹 마음으로 보아야만 보이는 사랑과 이해, 배려는 보지 못하고 쉽게 보이는 말과 행동들만을 보고는 괴로워하지요. 친구나 가족은 오랜 시간을 들여 서로를 길들여 왔는데 그것을 미처 깨닫지 못한 것입니다. 여우의 말처럼 길들인 것에 대해서는 책임을 져야 한답니다.

어른들은 다 자라 버린 바오바브나무처럼 쉽게 변하지 않아요. 예전에는 자신도 어린아이였다는 사실조차 까맣게 잊어버리지요. 그래서 아이들의 눈으로 세상을 바라보지 못해요. 숫자로만 세상을 판단하려고 하지요. 〈어린 왕자〉에 등장하는 사업가처럼 의미 없는 숫자 놀음에만 온 정신을 쏟아 붓는답니다.

그러면서 가로등 켜는 사람처럼 보이지 않는 곳에서 봉사와 희생을 실천하는 사람들을 비웃어요.

또한 어른들은 철도원이 말했듯이 자신들이 있는 자리에 만족하는 법이 없어요. 그렇다고 자신들이 진정 원하는 것이 무엇인지 정확하게 알고 있지도 않아요.

사막에서 만난 꽃잎이 세 개뿐인 하찮은 꽃의 말처럼 어른들에게는 정착할 수 있는 뿌리가 없어 살기가 힘든 건지도 모르지요.

어린 왕자는 약 한 알만 먹으면 일주일 동안 갈증을 느끼지 않는 약을 파는 상인을 만납니다. 왜 그 약을 먹느냐고 묻자 시간을 절약하기 위해서라네요. 그러면 몇 분이나 절약할 수 있냐고 어린 왕자가 묻자 상인은 53분이라고 대답해요.

바삐 돌아가는 현대 사회에서 53분은 가치가 있을 수 있지요. 하지만 어린 왕자는 그 53분으로 샘을 향해 천천히 걸어가겠다고 말한답니다. 세상의 속도에 매달려 앞만 보고 달리기만 하는 어른들이 찔끔하지 않았을까요?

이렇듯 어른들은 당장 눈앞의 이익만을 좇지요. 멀리 내다볼 생각은 전혀 하지 못한답니다. 그래서 코끼리를 삼킨 보아뱀의 그림 따위를 무시하는 건 아닐까요?

어른들은 어린아이처럼 쉽게 길들여지지 않아요. 서로를 위하여 많은 시간을 보내지 않기 때문이지요. 높은 산에 오른 어린 왕자가 "내 친구가 되어 줘. 나는 외로워." 하고 외친 것도 이 때문인지 몰라요. 온통 뾰족하고 아주 각박한 세상, 그것이 어른들이 지배하는 이 세상의 모습이에요.

우리는 장미꽃 한 송이에게도 책임을 느끼는 어린 왕자의 모습을 배워야만 해요. 코끼리를 삼킨 보아뱀의 그림을 단박에 알아보고, 상자 그림 속에 들어 있는 양 한 마리를 볼 수 있는 마음의 눈, 정말로 중요한 것을 바라볼 수 있는 이 마음의 눈은 어쩌면 우리 모두에게도 있을 거예요. 다만 그렇게 보지 않으려 할 뿐이지요.

눈에 보이는 돈이나 명예보다 더욱 중요한 사랑과 희생을 우리는 순수한 어린 왕자를 통해 보고 배워야 해요. 우리의 지구에서도 이런 어린 왕자가 살 수 있도록 서로를 길들이고, 모두가 하나뿐인 존재라는 것을 잊지 않았으면 좋겠어요. 그러면 자기 별로 돌아간 어린 왕자가 언젠가는 다시 한 번 지구를 찾아와 주지 않을까요?

저기 밤하늘에 반짝이는 별들 가운데 하나에 어린 왕자가 살고 있어요. 어린 왕자는 지구를 내려다보며 우리가 살고 있는 별, 이 지구가 살기 좋은 곳이 되었으면 하고 바라는 것만 같아요.

PART 4

논술워크북

어린 왕자의 순수한 눈빛을
떠올리며 논술을 풀어 보렴!

논술 워크북

논술 1단계 | 꼭 알고 넘어가요

1-1 이 이야기의 화자는 어떤 사람이며, 어디에서 어떻게 어린 왕자를 만났나요?

1-2 어른들이 코끼리를 삼킨 보아뱀 그림을 보고 모자라고 대답하는 까닭은 무엇인가요?

HINT

화자는 이 이야기를 하는 사람을 말해요.
본문에서 어른들이 어떤 사람들로 표현되는지 생각해 보세요.

2 장미는 종종 어린 왕자에게 거짓말을 했습니다. 왜 그랬다고 생각하나요? 장미가 어떤 생각을 갖고 있었는지 생각해 봅시다.

HINT

장미가 한 거짓말이 어떤 것들인지 살펴보세요.

3 자기 별로 돌아가는 어린 왕자에게 그림을 그려서 선물로 주고 싶다면 여러분은 어떤 것을 그려 주고 싶은가요? 여러분이 생각한 것을 말해 보고, 그 까닭을 말해 보세요.

HINT

자유롭게 상상력을 발휘해 보세요.

4 여우는 길을 들이는 것을 통해 서로 소중한 존재가 될 수 있다고 말합니다. 그리고 서로 친구가 되기 위해서는 참을성이 많아야 하고, 시간을 들여야 한다고 주장합니다. 여러분은 친구가 되기 위해서는 어떤 것이 필요하다고 생각하나요? 여러분의 의견과 그렇게 생각하는 이유를 말해 보세요.

- **나의 주장**

- **주장에 대한 이유**

HINT

친구가 되려면 어떤 것이 필요한지 생각해 보세요.

5 다음 글을 읽어 봅시다.

개츠비는 사람들이 자기에 대해 떠드는 이야기를 아는 눈치였다. 그는 선서라도 하듯이 오른손을 엄숙하게 치켜들더니 말을 시작했다.

"하느님께 맹세코 진실만을 말씀드리지요. 나는 중서부의 부잣집에서 태어났습니다. 미국에서 나고 자랐지만, 집안 전통에 따라 교육은 옥스퍼드에서 받았어요. 가족은 모두 죽고 지금은 혼자입니다."

그는 곁눈질로 나를 쳐다보았다. 그 표정을 보자 조던이 떠올랐다. 그녀는 개츠비를 믿지 않는다고 했다. 이제야 그 말이 이해가 되었다. 지금 개츠비가 늘어놓은 말보다 그에 관한 헛소문이 차라리 더 믿음직스러웠기 때문이다.

"중서부라면 구체적으로 어디 출신입니까?"

나는 짐짓 아무렇지도 않게 물었다.

"샌프란시스코요. 가족이 모두 죽는 바람에 거액의 유산을 상속 받게 됐지요. 그 후에는 젊은 왕자처럼 파리, 베네치아, 로마 등지를 떠돌아다녔어요. 루비 같은 보석을 수집하고 사냥을 하고 그림을 그리면서 가족을 잃은 슬픔을 달랬습니다."

(중략)

"그러다가 전쟁이 일어났지요. 선생, 나는 이렇게 외롭게 사느니 차라리 죽는 게 낫겠다 싶어서 전쟁에 나갔다가 기적처럼 살아서 돌아왔어요. 오히려 가는 곳마다 무공을 세워서 훈장까지 받았습니다. 심지어 몬테네그로! 그 작은 몬테네그로에서까지 나에게 훈장을 달아 줬지요!"

-〈위대한 개츠비〉 중에서

위 글은 물질적 가치가 팽배한 시대의 인간의 모습을 잘 보여 주는 소설 〈위대한 개츠비〉 가운데 한 부분입니다. 〈어린 왕자〉와 위의 글을 비교해서 사람의 아름다움과 소중함은 어떻게 발견되는가에 대해 논술해 보세요.

HINT

사람이 살아가는 데 중요한 가치가 무엇인지 생각해 보세요.

6 다 쓴 글을 친구나 부모님 앞에서 발표해 보세요. 그리고 듣는 사람이 고개를 끄덕이는지 아니면 고개를 갸우뚱하는지 반응도 살펴보세요. 발표가 끝난 후 평가도 부탁해 보세요.

가이드북

GUIDE BOOK

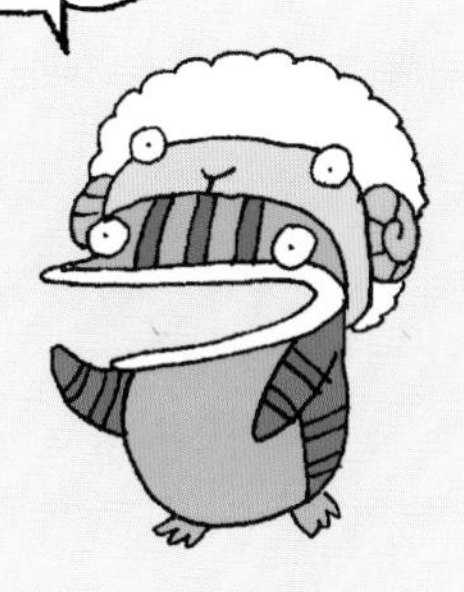
해설을 보면
어린 왕자의 순수함을
깊이 공감할 수
있을 거야.

가이드북

작품의 전체 줄거리

사막에 불시착한 비행사는 한 소년을 만납니다. 다른 별에서 온 신비로운 소년을 비행사는 '어린 왕자'라고 부릅니다. 어린 왕자는 비행사에게 여러 이야기를 들려줍니다. 집 한 채 크기도 안 되는 작은 별에서 온 소년은 해 지는 것을 보기를 좋아합니다. 그리고 자기가 살던 별에 있는 장미에게 책임감을 느낍니다.

어린 왕자는 자기가 살던 별을 떠나서 지구에 오기까지 여러 별을 떠돌면서 어른들을 볼 때마다 이상하다고 생각합니다. 지구에 온 어린 왕자는 여우를 만납니다. 여우는 어린 왕자에게 인연의 소중함과 본질적인 것은 눈에 보이지 않는다는 것 등을 일깨워 줍니다. 어린 왕자는 다시 자기 별로 돌아가고, 비행사는 밤하늘의 별을 볼 때마다 어린 왕자를 떠올립니다.

〈어린 왕자〉의 의미

프랑스의 소설가 생텍쥐페리의 작품으로, 제2차 세계 대전 중인 1943년에 발표되었습니다.

작품 속에서 작가는 본질을 보는 힘을 잃어버린 어른들에게 비판을 가합니다. 코끼리를 삼킨 보아뱀 그림을 보고 어른들은 누구나 '모자'라고 대답합니다. 눈에 보이는 것에만 익숙해진 어른들의 모습은 순수함을 간직한 어린 왕자에게는 이상하게만 여겨집니다.

이 작품은 어린 왕자의 시선을 통해서 삶에서 소중한 것을 보는 지혜를 알려 줍니다. 특히 어린 왕자가 여우를 만나서 '길들인다'는 것의 의미를 깨우치는 장면은 관계 맺음의 소중함에 대해 말하고 있습니다.

시적인 문장과 신비로운 분위기를 지닌 이 작품은 오늘날 어린이뿐 아니라 어른들도 꼭 읽어야 할 고전으로 평가 받고 있습니다.

1-1 사고 영역 _ 사실적 이해

본문을 잘 읽었는지 확인하는 문제입니다. 1장과 2장을 잘 읽었다면 바르게 답할 수 있습니다.

이 이야기의 화자는 비행사입니다. 그는 어른들의 세계에 실망감을 느끼고서 누구에게도 마음을 열지 않고 있었습니다. 그는 사하라 사막에서 비행기가 고장 나서 곤경을 겪는 도중에 어린 왕자를 만납니다. 어린 왕자는 그에게 양을 그려 달라며 불쑥 나타났습니다. 처음에는 이상하게 생각하던 화자이지만 서서히 마음을 열고 어린 왕자와 친구가 됩니다.

1-2 사고 영역 _ 사실적 이해

본문에서 전하는 메시지를 바르게 파악했는지 확인하는 문제입니다.

어른들은 사물을 볼 때 겉모습만 보는 것에 익숙해져 있습니다. 그래서 그림의 형태만 보고서 그것을 파악합니다. 어른들에게 그런 그림은 중요한 것이 아니기 때문에 그들은 그림을 제대로 보고 상상력을 발휘해 보려고 노력하지 않습니다. 어른들은 지극히 현실적이어서 그림보다는 지리, 산수, 역사 공부가 중요합니다.

CHECKPOINT

본문을 잘 읽었는지 확인하는 문제입니다. 그림을 보는 시각을 통해 작가가 어른들의 어떤 점을 비판하는지 바르게 파악해야 합니다.

2 사고 영역 _ 비판적 사고

비판적 사고는 사물을 분석적으로 바라보는 것에서 출발합니다. 작품에 나오는 등장인물의 행동에 대해 분석적으로 생각해 봄으로써 작품에 대한 이해도를 높일 수 있습니다.

장미가 어린 왕자에게 어떤 거짓말을 했는지 생각해 봅시다. 장미는 어린 왕자에게 덮개를 요구하면서 전에 살던 곳은 춥지 않았다는 거짓말을 했습니다. 또 굉장히 공을 들여 아름답게 치장했으면서도 아무 생각 없이 꽃을 피운 양 말하기도 하고, 자기 가시가 커다란 짐승들도 물리칠 수 있을 만큼 강하다고 말하기도 했습니다.

그런데 이런 거짓말들은 어린 왕자를 괴롭히기 위한 악의적인 거짓말이 아니라 자기 자신이 대단하다는 것을 알려 주기 위한 허세에 가깝습니다. 장미의 거짓말은 허영심 때문이기도 하지만 어린 왕자의 관심을 끌기 위한 것이기도 합니다. 어린 왕자가 떠날 때 장미는 어린 왕자를 사랑하고 있다는 것을 고백합니다. 어린 왕자를 사랑하고 있으므로 자신이 대단한 것처럼 포장해서라도 관심과 애정을 받고 싶어 한 것입니다.

CHECKPOINT

장미의 심리를 바르게 분석할 줄 알아야 합니다.

3 사고 영역 _ 창의적 사고

본문에 나오지 않은 내용을 자유롭게 상상함으로써 창의력을 기를 수 있습니다.

어린 왕자에게 선물을 한다면 어떤 것을 하고 싶은가요? 어린 왕자가 자기 별로 돌아갔을 때 필요한 것을 선물한다면 더욱 기쁘겠지요. 예를 들어 비행사가 제대로 그리 주지 못한 양의 입마개를 그려서 주는 것도 좋을 것입니다. 아니면 양이 한 마리만 있으면 외로우니까 한 마리의 양을 더 그려서 주는 것도 좋을 것입니다.

그렇지 않으면 어린 왕자랑 가끔 통화할 수 있게 휴대전화를 그려 주는 건 어떨까요? 어떤 상상을 하든 틀린 것은 없습니다. 자유롭게 여러분의 생각을 말해 보세요.

자유롭게 상상력을 펼쳐 봅니다.

4 사고 영역 _ 논리적 사고

본문에 나오는 문제에 대해 자신의 주장과 그 이유를 말해 보면서 바르게 논증하는 방법을 배웁니다.

여우가 말하기를 친구가 되기 위해서는 참을성 있게 옆에서 기다려 줘야 하며, 서로 익숙해지기 위해서 많은 시간을 들여야 한다고 합니다. 여러분은 친구가 되려면 어떤 것이 필요하다고 생각하나요? 열린 마음, 나와 다른 면도 인정하는 마음, 서로 비슷한 점 등 다양한 것을 생각할 수 있을 것입니다.

그런데 어떤 것을 주장하든, 주장에 대한 이유를 적절하게 제시해 주어야 합니다. 예를 들어 '친구가 되기 위해서는 서로 비슷한 점이 있어야 한다.' 고 주장하려면 '서로 비슷한 점이 있으면 상대방이 생각하는 것을 더 잘 이해하고 공감할 수 있다.' 등의 이유를 확실하게 말해 줘야 합니다.

CHECKPOINT

주장을 뒷받침하는 타당한 이유를 제시하는 것이 중요합니다.

5 사고 영역 _ 논리적 사고

제시문을 분석하여 바르게 파악한 다음에 논술의 주제와 연관시킵니다.

제시문은 〈위대한 개츠비〉의 일부분입니다. 이 소설은 물질적 가치를 중요하게 생각했던 1920년대 미국 사회의 단면을 잘 보여 주고 있습니다.

제시된 글에서 개츠비는 자기 자신에 대해 거짓으로 소개하고 있습니다. 그런데 개츠비의 말을 잘 보면, 그는 겉으로 보이는 외적인 부분에서만 자신을 포장하려 합니다. 그는 자신이 부자라는 점, 좋은 가문에서 태어났다는 점, 훌륭한 교육을 받았다는 점, 전쟁에서 훈장을 받았다는 점 등을 말합니다. 이런 것들은 그 사람의 겉모습만을 보여줄 뿐, 그 사람의 마음이나 인간성 등을 말해 주지는 못합니다.

반면 〈어린 왕자〉에서 여우는 '중요한 것은 눈에 보이지 않고, 마음으로 보아야만 발견할 수 있다.' 고 말합니다. 눈에 보이는 겉모습으로만 사람을 판단하는 〈위대한 개츠비〉의 세계와 마음으로 아름다움과 소중함을 느껴야 한다고 말하는 〈어린 왕자〉의 세계는 대조적입니다.

CHECKPOINT

제시문이 보여 주는 상황이 〈어린 왕자〉에서 말하는 가치와 대비된다는 것을 파악해야 합니다.

다음 글은 논술 5단계 문제에 대한 예시 답안입니다. 지도에 참고하시기 바랍니다.

제시문에서 개츠비는 자신이 훌륭한 가문에서 태어났으며, 유산을 상속 받았고, 좋은 교육을 받았다고 주장하면서 겉모습을 포장하는 것으로 자신의 가치를 말하려 합니다. 〈어린 왕자〉에 나오는 어른들도 숫자와 계산만으로 다른 사람들을 판단하려 합니다. '100억 원짜리 집을 보았다.' 고 말해야만 굉장한 집을 보았다고 감탄하는 어른들의 모습은 개츠비와 아주 비슷합니다.

이에 반해 어린 왕자와 여우는 아주 다른 생각을 갖고 있습니다. '중요한 것은 눈에 보이지 않고, 마음으로 보아야만 보인다.' 는 여우의 말은 겉모습만으로 사람의 가치를 판단하는 어른들과 대조적입니다.

그런데 어른들의 시각으로 겉모습만 보아서는 사람이 가진 진정한 아름다움과 소중함은 발견되지 않습니다. 아름다움과 소중함은 눈에 보이는 물질적인 것이 아니라 내면 깊숙이 숨어 있는 것이기 때문입니다. 그래서 〈어린 왕자〉에서 겉모습만 중요하게 생각하는 어른들의 세계는 온통 숫자와 계산으로 이루어진 건조한 것으로 비판되고 있습니다.

눈으로 보는 것이 아니라 오직 마음으로 그 사람의 마음속에 담긴 것을 느껴야만 진정한 아름다움과 소중함이 발견됩니다.